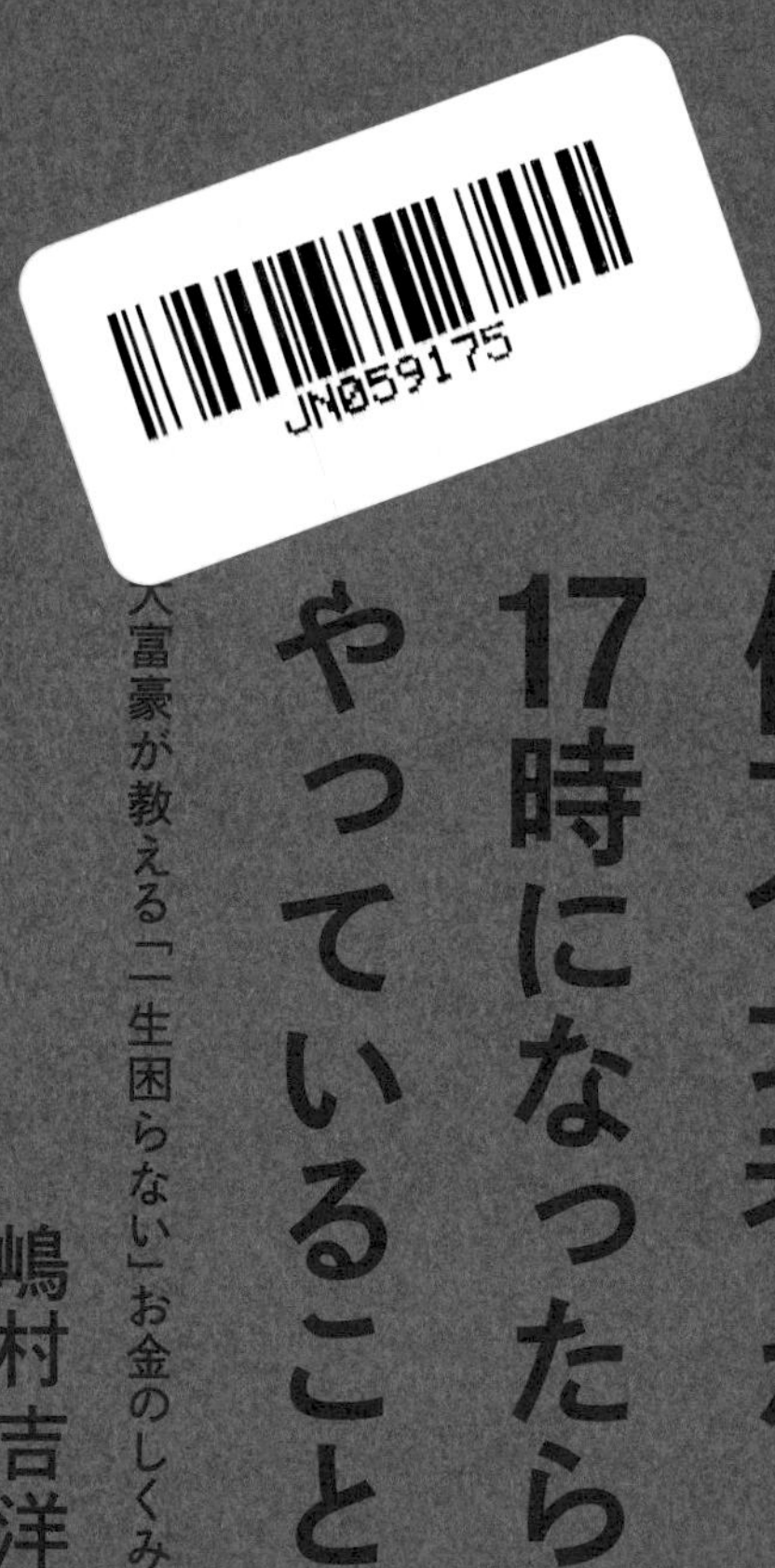

となりの億万長者が17時になったらやっていること

大富豪が教える「一生困らない」お金のしくみ

嶋村吉洋

PHP

プロローグ

「幸せな億万長者」になる人と、そうでない人、最も大きな違いとは

突然ですが、世の中には、お金持ちになる人がいれば、そうなれない人もいます。

その本質的な違いは、一体どこにあると思いますか？

もちろん「お金持ち」といっても、両親からものすごい資産を受け継いでいる人もいれば、ギャンブルなどで一時的に富を手に入れただけの人もいます。

そういったタイプではなく、自分の腕一本で大金を稼ぎ、どんなに世の中の情勢が変わり、どんなに事業で失敗してお金を失ったとしても、ちゃんと復活を果たして人生を満喫（まんきつ）する「本物のお金持ち」がいます。

本書ではそんな人々を「幸せな億万長者」と定義しているのですが、それは単なるお金持ちではありません。

のちにも紹介しますが、彼らは人的資本・金融資本・社会資本の３つを手に入れて、

「やりたいこと」を
「やりたいとき」に
「やりたい仲間」と
「やりたいだけ」
やることができる、非常に幸せな人々なのです。

では、そんな人々は普通の人とどのような点が違っているのでしょう？

その答えはとても簡単で、**17時以降の使い方が平均的な人とかなり違うのです。**

定時が18時や19時という会社もあると思いますが、ここでは17時とします。
たとえばあなたが17時以降、自分を高めるための予定を入れていたとしましょう。
そんなとき、あなたは会社の上司から残業をしてくれと言われました。
あなたはどちらを選びますか？

1、「予定があるので無理です」と言って断る。
2、仕方がないと思い、残業の依頼を受け入れる。

どちらの選択がよいとか悪いとかという話ではありません。
ただ、**どちらを選ぶかによって、あなたの未来は大きく違ってくる**と思います。

今日、ハイカロリーな食事をして、自宅のソファーでゴロゴロしている人は、将来、肥満体型になる可能性が高くなります。

一方、今日、栄養のバランスのとれた適切なカロリーの食事をして、適度な運動をしている人であれば、将来は引き締まった体になる可能性が高いでしょう。

つまり、今日の延長線上に未来があるのです。

だから、未来は「今」で決まり、人生は「選択」なのだと私は思います。

この選択は、自分にとって効果的なのだろうか？

幸せな億万長者は、いつもこのことを考えています。

起業が先か？　コミュニティが先か？

選択と言いますと、私はずっと不思議に思っていたことがあります。

なぜ、世の中の大人は、「起業してから、自分を真剣に応援してくれるコミュニティを作る」という選択をするのだろう？

なぜ、世の中の大人は、「自分を真剣に応援してくれるコミュニティを作ってから起業する」という選択をしないのだろう？


こんな素朴な疑問を抱き、実際に行動に移してきた私はいろんな方々から、

「なぜコミュニティを先に作ったほうがよいのですか？」

と、質問を受けます。

それに対して私はこう答えます。

「泥縄にならないためです」

泥縄をググると、

「事が起こってから、あわててその対策に手を着けることをあざけって言う語」と、書いてあります。

私は人様をあざけるつもりはまったくないのですが、物事には順番があると思う

のです。

ちょっと考えてみてください。下品なたとえでたいへん恐縮ですが、パンツを下ろしてからウ●コをするのであって、ウ●コをしてからパンツを下ろしたら非常事態を宣言することになると思います。

やること1つひとつは正解ですが、順番を間違えると地獄さながらの状態になる。

【パンツを下ろす】→【ウ●コをする】＝天国
【ウ●コをする】→【パンツを下ろす】＝地獄

通常は【起業する】→【コミュニティを作る】＝地獄かも？

これを逆にすれば良いのでは？　と私は思うのです。

【コミュニティを作る】→【起業する】＝天国

これは起業に限らず、他のことにも言えると思います。

起業してからコミュニティ作りを始めるから、資金・メンタル・人材・体力面などで非常に苦しくなる。

だったらコミュニティを作ってから、起業したらよいのでは？

私はそう思うのです。


ここまで読まれて、「嶋村！　理屈ではそうかもしれないが、お前はそれで実績を作ったのか？」

と疑念を持たれた方は安心してください。

現在私は、数千人と一緒に100以上のプロジェクトを走らせていて、毎年のペースで映画を制作するエグゼクティブプロデューサー（その作品は2作連続国際映画祭で受賞）。

さらにテレビ東京やオリコンなど数社の大株主であり、その総額は約30億円で、東京23区などに約2000坪、サッカーコート1面くらいの土地を所有する大地主でもあります。

世の中には凄い方々がたくさんいらっしゃいますが、私もまあまあの実績を作っていると思います（笑）。

本書でお伝えするのは非常に簡単なことで、かつ再現性があります。

あなたがこの本に書かれている簡単なことを実践し、「正しい選択」を行なえば、必ず幸せな億万長者になれると私は信じています。

信じるか信じないか、やるかやらないか、はあなた次第です。

幸せな億万長者となったあなたが、私の目の前に現れる。そんな日が訪れることを心から楽しみにしています。

となりの億万長者が17時になったらやっていること　目次

序章　「人とのつながり」がビジネスを決める時代になった！
——16歳で仕事を始めた少年が、幸せな億万長者になった理由

第1章 幸せな億万長者は定時になったら何をしているのか？

――「会社依存」を抜け出すための意識改革

第2章 社外の「仲間」が仕事とお金をもたらしてくれる
——人脈ゼロ、スキルゼロから「コミュニティ」を作り出す方法

第3章 どこに出向き、どんなふうに自分をアピールするか？

――チームの輪を広げる「すごい仕組み」

第4章 仲間を信頼すれば、ビジネスは拡大する！

――次々にアイデアを形にする「すごい実行力」

第5章 「投資家の発想」を持つ人だけが稼げる時代へ
——一生損しないために知っておきたい「お金の話」

終章　結局、コミュニティを持っている人が最後に勝つ
――人から好かれるリーダーがやっていること

エピローグ

序章

「人とのつながり」がビジネスを決める時代になった！

——16歳で仕事を始めた少年が、幸せな億万長者になった理由

億万長者は確実に「コミュニティ」から登場している

あらためて自己紹介させていただきます。

私は嶋村吉洋、10代で起業し、今はさまざまなビジネスの分野にプロデューサーや投資家の立場で関わっています。

その仕事の内容は、映画制作・株式投資・不動産投資・会社経営・コンサルタントなど、多岐にわたっているのが特徴です。

どうしてそこまでたくさんの仕事ができているかと言えば、**チームビルディング・コラボレートという形でコミュニティを作り仕事をしている**からです。

チームビルディング・コラボレートとは何か？　これを簡単に言うと、まずコミュニティを作り、目的・目標に対して効果のあるプロジェクトを「協働」という形で同時に進めていくやり方です。

少々わかりづらいかもしれませんが、本書で具体例を提示しながらしっかり説明していきますので、この段階では「そういう働き方があるのだな」と、ぼんやりイメージしていただくだけで構いません。

「そのコミュニティと億万長者にはどんな関係があるんだ？」

という疑問を持たれた方も、本書を読み進めていく中で徐々にわかっていただけると思うので、ご安心ください。

「普通の家」と「ヨットがある家」の違い——幸せな億万長者が教えてくれた話

私は神戸で生まれ育ちました。

父は建築関係の自営業者だったのですが、施主の一部が神戸の山の手に住んでいたのです。

私は子供のころから父に連れられ、山の手の大豪邸に出入りしていました。

山の手の億万長者の人々が住む家というのは、庶民の家とまったく違います。プールやテニスコートが家にあるところもあれば、防空壕がある家にも行ったことがあります。

今でもハッキリ覚えているのは、小学生のころにお邪魔した億万長者の家のリビングに、ヨットが飾ってあったことです。

「リビングにヨット!?」

まったく意味不明な規格外の大豪邸だったのです。

そんな大豪邸に住んでいながら、時間的にもゆったりしている億万長者の方々に、

「どのように頑張ったら、こんな生活になるのですか?」

と聞けば、決まって、

「商売をしている」

とか、

「社長をしている」

という答えが返ってきます。

私の身内にも社長が多かったのですが、山の手の方々とは生活がまったく違いました。

そんな山の手の億万長者の方々が、子供の私に説明をしてくれた内容をまとめると、以下のようになります。

1、仕事にはバケツ運びとパイプラインを引く2種類がある

「バケツ運びとパイプライン」というのは、私にとってバイブルにもなっている書籍、ロバート・キヨサキさんの『金持ち父さんのキャッシュフロー・クワドラント』（筑摩書房）に出てくるエピソードです。

詳しくはこの本を読んでいただければ明快なのですが、簡単に紹介しましょう。

その昔、雨が降らず、水不足で困っていた村が、エドとビルの2人に問題の解決を依頼します。

エドのほうは、真っ先にバケツを2つ買ってきて、1マイル離れた湖から、せっせと水を運び始めました。

村の誰よりも朝早くに起き、必死になって村に作ったタンクを水で満たし続ける。つらい仕事でしたが、それでもエドは、村人が水を買ってくれることを喜びました。

ところは、ビルのほうは、そんなことをしません。

数ヶ月、村から姿を消したと思ったら、投資家たちに出資をしてもらって水道会社を立ち上げると、建設作業員たちを使って湖から村まで水を引くパイプラインを完成させてしまったのです。

パイプラインができたら、あとは水を流すだけ。村人は料金も安く、いつでも水

を使用できるビルの会社から、こぞって水を求めるようになります。

結果、ビルがお金持ちになったのに対して、エドは一生、苦労して働き続ける生活から抜け出せません。

悔しいかな、私の周りにいたサラリーマン家庭の人々は、ほとんどがエドようにしか仕事を考えてこなかったように感じます。

一方で、**山の手の億万長者の方々は、ビルのようなビジネスオーナーの働き方をしています。**

私が億万長者から学んだこと。それは、考え方の根本が異なっていると、どんなに頑張っても人生に差がついてしまうということだったのです。

2、幸せな億万長者になるためにはこの3つが必要

プロローグでも紹介しました。次の3つです。

・**人的資本**……必要なときに労働をし、自己実現を果たせるだけの能力やスキルを持っているか

・**金融資本**……自由に生きられるだけのお金、あるいはそれを生み出す資産を持っているか
・**社会資本**……互いに助け合い、刺激を与え合う人間関係のコミュニティを持っているか

その当時の私はぼんやりとしか億万長者の方々の話を理解できなかったのですが、それでも世の中に対する見方は、少しずつ変化していきました。

私が通っていた小学校、中学校の周りにいた多くの方々は普通の家に住み、労働の対価としてお給料をもらっています。

「このまま普通に学校に通って、みんなが当たり前だと思っている人生のエスカレーターに乗っていたら、山の手の億万長者のようにはなれないのでは?」

私は周りの大人を見て、そんなふうに感じたのです。

まもなく私は高校に行かなくなり、億万長者になる道に飛び込むことにします。

始まりは16歳のころ、ファミレスに集まった仲間たちからだった

もちろん、16歳で一念発起した少年が簡単に億万長者になれるほど、世の中は甘くありません。

まずコミュニティを作るために仲間を集めようと考えるのですが、当時集められるメンバーはと言えば、昔からの遊び仲間しかいません。

「これから俺たちで、新しいビジネスを始めるぞ」
「興味あるやつはファミレスに集まれ！」

そんな感じで、とにかくファミレスを事務所代わりにして、皆が集まる「場」だけを作りました。そこでアイデアを出し合えば、何かが始まるのではと考えたのです。

私は集まってきた仲間に、コミュニティの価値を語りました。

それは、たとえば以下のような内容です。


私がまだ子供のころの話です。

知人の3人のお兄さんが、生命保険会社に就職しました（そのお兄さんを、仮にAさん、Bさん、Cさんとしましょう）。


その際、今まで人付き合いを大切にしてきたAさんやBさんの友人たち、知人、先輩後輩やご親族の方々などが、

「御祝儀だ！」

と言って、次々と保険に入ります。もちろん、AさんとBさんからです。

それに対して、子供の私から見ても人付き合いが悪く、いつも損得勘定で動いているように見えるCさんの友人、知人、先輩後輩、ご親族の方々などは、ほとんど保険に加入しませんでした。

結果、Aさんはしばらくの間、御祝儀の力によって良い成績を作りつつ、地道に

営業を続けました。そしてその保険会社で、かなりの成果をあげたのです。

Bさんはご祝儀によって、しばらくの間、良い成績を作りました。でも、その代わりに一般のお客様に対する営業をサボってしまったのです。結果、継続して成績を作ることができず、保険会社を辞めてしまいました。

最後のCさんは、最初から最後までほとんど数字を作れないまま、保険会社を辞めてしまいました。

シンプルな話ですが、これが**人を大切にする人と、そうでない人との違い**なのです。周りの人々から、そして新しく出会う人々から応援される人ほど、強固なコミュニティを作り、成功する確率は高くなります。

そして子供ながらに私は、

「自分を応援してくれるコミュニティがあるといいな！」

と思ったのです。

それを何度でも仲間たちに伝えていくことが、私のコミュニティ作りの始まりでした。

流行り病の中で、繁盛したパーラーの秘密

私はこんな話も、仲間たちに伝えています。

毎年私は、ある大好きな島に移動して仕事をします。この島にはホテル建設で騒がしくなる前から通っていて、まあ、なんというか相性が良い島なのです。

ホテル建設が始まる前は、ビーチの目の前にある小さい丘の上にパーラーがありました。そこを運営していたのが「Mさん」という謎のオジサンです。

Mさんのパーラーには、オモシロイ人たちがゾロゾロと集まり、目の前の海で獲った物を食べ、ビール・泡盛をひたすら呑み、今のところ根拠なしの「ポジティブ

な未来」を無限に語り合い、楽しんでいました。

彼らと仲良くなってからの私は、沖縄入りすると当たり前のようにこの島に通い、呑み、毎回気絶していたのです。

Mさんのパーラーは、不思議な文化を創っていました。

たとえば店主のMさんは海にタコなどを獲りに行って、パーラーにいないことがよくあります。

あるいはMさんがお店にいても、よく爆睡していることがあります。Mさんが真っ先に酔っ払い、寝てしまうわけです。

そんなときはお客さんがキッチンに行き、自分で料理を作って食べています。
冷蔵庫などからお客さんが勝手にお酒を出し、注ぎ、呑んでいるのです。

自分で食材を持ってきて自分で調理をして、なぜか代金を支払って帰る。お客さんが自分で飲食代金を計算し、レジを開け、代金を支払い、お釣りも自分でとる。

盗み放題なのですが、誰も何も盗（と）らない。

お客さんが自主的にスタッフをやる。

掃除もする。

料理も作る。

お店の売り上げをアップさせるための戦略会議を開く。

それでいて、ギャラをもらうどころか、飲食の代金を支払って帰る……。

そうなのです。Mさんのパーラーは、

【お店（Mさん）と、お客さん】
ではなく、
【俺たちのパーラー】であり、
【私たちのコミュニティ】
だったのです。

これは強い。
非常に強い。
圧倒的に強い。
パーラーがなくなっても、たいして困らない人は多いと思うのですが、
【俺たちのパーラー】がなくなると、コミュニティメンバーは非常に困るのです。

その後、Mさんのパーラーは違う場所に移転しました。

すると、コミュニティメンバーもそれにあわせて移動しました。

Mさんのお店が「流行り病（はややまい）」になってどうなったか？　逆に繁盛したのです。

「俺たちのパーラーを潰してはならない！」

「私たちのコミュニティを逆にでかくしてやる！」

「今こそ私たちのパーラーを皆に教えてあげないと！」

などと、コミュニティメンバーがパーラーに殺到したからです。


「1秒でも速く」

「1円でも安く」

「お客様は神様です」

などと苦労に苦労を重ねてきたにも関わらず、「流行り病」などの非常事態になると、お客様にそっぽを向かれた経営者の方は、この話が信じられないかもしれませんが、ほぼ事実です（※関係者の皆様にご迷惑をおかけしないように、一部をフィクションにしています）。

仲間がいれば、ビジネスは失敗しない

さて、当初の私たちはいわゆる「烏合の衆」ですから、単に飲み食いをするだけで、サークル活動をしているのと、ほとんど変わりがありません。

でも、**人が集まれば、情報も集まるし、面白いアイデアが生まれます。**

烏合の衆が、何らかのイベントを企画したり、何でも屋的なちょっとした商売を始めたりして、だんだんと私たちのコミュニティは拡張していきます。

むろん、そこまでいくには長い月日がかかったし、集まった人たちも入れ替わり立ち替わりで、新陳代謝を繰り返していきます。

その過程は本書の中で述べていくことになりますが、これが会社に束縛されない私たちの形の始まりだったわけです。

私たちがやってきたことはとても簡単な話で、「ファミレスに集まった仲間たち」を頭に浮かべてください。

10人くらいの人間がいたとして、毎回、食事や飲み物を入れて1人2000円くらいの飲食をする。

合計すると2万円です。

それで月に5回くらい皆が集まっているなら、10万円ということになりますね。

では、コミュニティがどんどん拡張して、3倍の30人になったとしましょう。全員が全員、いつも集まるわけではありませんが、それでも皆が集合するとファミレスでは手狭になる……。

でも、よく考えると、全員で月に30万円の飲食費をかけているのです。

月に30万円なら、「どこかに共同のオフィスを作ればいい」という話になりませんか？

しかも、集まるのは月に5回なのです。

それ以外の日は空いているのだから、それをレンタルスペースにして一般に貸し出せば、利益も出せるのでは？

「ちょっと待って、それじゃあ食べ物とか飲み物が出なくなっちゃうよね。それはデリバリーを頼むしかないのかな？」

「いや、それだけお金をかけるなら、僕が飲食店を作ってデリバリーするよ。皆がお客さんになってくれるなら当面は困らないし、それ以外のお客さんが来れば、その分は収益にできるんじゃないか？」

どうでしょう？

こんなふうにして、リスクをかけずして、レストランとか喫茶店とか居酒屋を作ることが可能になるわけです。

最初からお客さんは私たちの仲間で確保しているから、まず失敗はない。

そして私たち以外のお客さんにもお店に来ていただければ、すべて大きな利益になります。

最初からこういう設計だったら、まず失敗することがありません。

同じような考え方で、

「仲間たちはみんな髪をカットしたりパーマをあてるよね」

となれば、美容院の経営が可能になるし、

「みんな洗濯をするよね」

となれば、コインランドリーの経営だって可能になる。

コミュティに関わる人間が増えれば増えるほど、あらゆるビジネスが実現できる可能性があるわけです。

実際、私たちの仲間うちには、飲食店のオーナーになっている人間が大勢いるし、1軒だけでなく、複数のお店を持つ人も増えています。


必要なのは、すべて「人とのつながり」だけ。

これが、本書を読み進めるうえで欠かせない、幸せな億万長者になる人が大事にしている考え方です。次章から、その考え方をさらに詳しく見ていきましょう。

第1章

幸せな億万長者は定時になったら何をしているのか？

——「会社依存」を抜け出すための意識改革

飲み会だけでは、人は2度、3度集まろうとしない

人が集まれば、ビジネスの流れはいくらでも起こってくる。

序章ではそのようにお話ししました。

そこで問題になるのは**「最初の集まり」をいかに作っていくか**です。

おそらく読者の中にも、社外で行なわれている勉強会に参加している方はたくさんいると思います。

けれども、自分が「集まろう！」と声を掛けて、「何十人もの人々がすぐに集まってくる」という人は少ないのではないでしょうか？

「そんな積極的な性格じゃないし、みんなが集まる場所を見つけるのも大変だよ」なんて声が聞こえてきそうですが、大丈夫です。

いったんこのまま読み進めてください。

10代でコミュニティ作りを始めたときの私は、どちらかと言えばリーダー格の人間でしたから、当初のメンバーは比較的簡単に集まりました。

「嶋村が言うなら」

と、友人が集まってきたのです。

でも、それから「ビジネスをやるぞ」なんて言ったところで、多くの人間はチンプンカンプンです。興味もやる気もありません。

最初は「楽しく飲み食いができる」という理由で集まっていても、すぐに飽きてしまい、人はどんどん離れていきます。

それで当初は、コミュニティの拡張に苦労したものですが、経験を積むごとにやり方を体得し、その面白さにより夢中になったのです。

今ではコミュニティに「人脈ゼロ」で参加した人が、数年後にはお店を開業して、連日満員になる。これを実現できるような環境や土壌があります。

詳しい「環境」「土壌」の作り方は第2章で述べていきますが、その前に基本中の基本を述べておきましょう。

幸せな
億万長者
の秘訣
I

終業後に気の置けない人が集まる環境や土壌を作る

「優れた能力」よりも、ずっと大事なことは？

コミュニティを拡張するためには、何をすればよいか？

まず基本として、**「当たり前のことを当たり前にやる」**ことです。

「え、そんなこと？」

拍子抜けするかもしれませんが、私はそれしかないと断言すらできます。

当たり前のことを当たり前にできるということは、幸せな億万長者になるために欠かせない要素です。

たとえば私たちのコミュニティメンバー同士で徹底しているのは、何より「レスポンスを早くする」ことです。

寄せ集めの人の集まりですから、それぞれ向き不向きがあって、できることとできないことがあります。

特に若手社員であれば、「何かアイデアはないか」とか「気づいたことはなかったか」と訊かれても、「大したことは答えられない」という人が大半でしょう。

でも、

「自分が気づいたことはこれくらいです」とか、

「ごめんなさい。何も思いつきませんでした。僕はスルーして進めてください」

などと言っておけば、そこで進行がストップすることはありません。

逆に、ものすごく貴重な意見があったとしても、レスポンスが遅ければ、その分、全体に遅れが出るのです。

だから、「レスポンスが早い人」ほど、コミュニティの中で信頼されます。

もう１つ、**「当たり前のことを当たり前にやる」という点では、普段の挨拶**

や、礼儀作法も、とても大事です。

私自身もそうですが、私たちのコミュニティには、一般企業にまったく属したことのない人もいれば、会社でマナー研修などを受けていない人もいます。

それではお互いのコミュニケーションで誤解が生じたり、認識の差からギスギスした関係になりかねないというので、皆でマナー研修を受けています。

当たり前ですが、誰だって、挨拶をまったくしない人よりも、気持ちよく挨拶をする人と、一緒の時間を共有したいですよね？

そんな基本的なことから、幸せな億万長者になる道は始まっています。

幸せな
億万長者
の秘訣

2

内容がなくても、即レスを徹底

微差が大差を作る

16歳のころから、億万長者と呼ばれる人たちと接してわかったことがあります。

彼らの一番の特徴として挙げられることは、「**微差にこだわる**」ということです。

具体的に、その差はどんな行動に表れるのでしょう？

・約束の時間ギリギリではなく、最低でも30分前に到着する
・自分が他人にしてほしいことを、まず自分が行なう
・どれだけ忙しくても適度な運動をする
・無駄なサブスクリプションなどがないか見直し、極限まで固定費を削る
・毎日短時間でも読書をする
・毎日親に感謝の連絡をする
・自分から気持ちの良い挨拶をする
・思いついたことは、その場でやるか、すぐにタスク化する
・何時に寝ても、毎日同じ時間に起きる

・可能なかぎり、アナログでコミュニケーションをとる
・きちんと謝る
・あるべき物があるべき所に必要なだけある状態を保つ

ほかにもあります。

・必ず「沸点」を超える仕事をする
・トイレを使用した後は、必ず軽く掃除する
・何かをもらったり、恩を受けたら、後日お会いする際に具体的にお礼を伝える、またその関係者の方に嬉しかったこととして伝える
・1つ買ったり手に入れたら、同じ目的のものを1つ捨てる
・次の人が使いやすいように、その場を去るときは現状復帰以上に整える

たとえば、これらのことですが、すべて「やったほうが良いこと」でありながら、実際にやっている人は少ないのではないでしょうか。

「本を書く」ということを考えてみてください。

素人（しろうと）にはとてもできない。大変な仕事のように思えます。

でも、「毎日1ページの文章を書く」と言えば、さほど難しいことには感じませんね。

この1ページの文章、1週間や2週間では、7ページとか14ページの文章にしかならず、ただのメモ程度の中身です。でも、**1年365日、毎日1ページずつ書き続ければ、随分と厚い内容になります**。

「自分も本を書けるかも」。そう思えてきませんか？

もっとも、365ページの文章を書いたとして、中身がそれで保証されるわけではありません。

ネガティブなことを毎日書けば、ネガティブな内容の本になるし、ポジティブなことを毎日書けばポジティブな内容の本になります。

ここでお伝えしたいのは、毎日の微差は時間が経つにつれて大差となり、人生に違いを作るということです。

「お金持ち1万2000人」の出した答え

レスポンスの早さとか、ビジネスマナーとか、微差にこだわるとか、まずは「当たり前のことを当たり前にやる」ということを述べましたが、

「億万長者になるような人には、もっと人一倍優れた特殊な能力が備わっているのではないか」

と想像する人も多いでしょう。

お金に対する嗅覚とか、人が思いつかないアイデアをひらめく発想力とか、あるいは万人を平伏させるようなカリスマ性とか……。

イマイチ納得できない皆さんには、有名な自己啓発の作家である本田健さんが、1万2000人の高額納税者にアンケートをとって書き上げた『普通の人がこうして億万長者になった』（講談社α文庫）という本を紹介しましょう。

それによると億万長者の人生には、次の10の特徴があることが多いそうです。

① 好きなこと、得意なこと、喜ばれることを仕事にしている

②誠実なこと、健康なこと
③運が良いこと
④危機を乗り越える力があること
⑤人に応援されること
⑥メンターがいること
⑦パートナーと良い関係を持っていること
⑧子供の教育を独特に考えていること
⑨長期的な視野を持つこと
⑩決断を上手にすること

①の「好きなことを仕事にする」の次に、真っ先に挙げられているのが、やはり「誠実であること」で、それは決断力や先見性よりも、ずっと大切になっているわけです。

どうしてかと言えば、それはコミュニティ運営の根幹に関わることだからだと思います。

序章で述べたように、商売で成功するには、何万、何千ではなく、ほんの数十人の仲間を集めることからスタートするだけでいいのです。

そんな仲間に、あなたならどんな人を選ぶでしょうか？


これは「ご近所のコミュニティ」を考えてみればいいのです。

どんなに社会的な地位のある人でも、愛想が悪くトゲトゲしい人だったら、近所付き合いどころか、そもそも話しかけられることすらないでしょう。

頭がよく能力はありそうでも、信頼できない人であれば心を許すことはできません。そんな人が近所にいて、あなたの家に現金1億円があったとしたら、「絶対にあの人にはバレてはいけない」とビクビクし、警備会社と契約するなどしてセキュリティレベルを上げるかもしれません。


でも、近所が信頼できる人だらけだったら、そんな必要はないのです。

古き良き田舎の村ではありませんが、家のカギをかけずに安心して出かけられるような状況だってありうるわけです。

もうお気づきでしょうが、**信頼関係がないとコストがかかります**。逆に言うと、信頼関係があるとコストが低くなります。

たとえば、信頼関係がある仲間ならば、一緒に仕事をする際に、相手のことや相手の会社について、いちいち調べるお金や時間をかける必要がないですし、自宅に鍵をかける必要すらないかもしれません。

このように、

「能力が高いこと」

よりも、

「人から信頼されること」

のほうが、仲間として大事にされやすくなるのです。

結果、信頼される人は、お金が入ってくるような幸運に恵まれやすくなります。

「誠実なこと」が「運が良いこと」につながると、億万長者の人たちは考えている。

非常に興味深いですね。

幸せな億万長者の秘訣

3

嘘をつかない。やましいことをしない

応援される人になれば、ビジネスは簡単にうまくいく

もちろん、ただ「人から信頼されるだけ」では、誰かのコミュニティに加えられることはあっても、自分のコミュニティを作ることはできません。

子供のころに私が出会った億万長者の方々は、ほとんどが〝社長〟でした。つまり成功レベルを上げたいのであれば、自らがリーダーになってコミュニティを牽引しなければならない……。

これが高額納税者の特徴リストにある、「⑤ 人に応援されること」、

自分を応援してくれるコミュニティを作り上げる、ということです。

実際、私のコミュニティに参加した人に、私が必ず言っているのは、

「誰かのコミュニティに属すだけではなく、あなたも自分のコミュニティを作ってくださいね」

ということです。

子供のころから、たくさんの商売をする人を見てきたので、私はよく知っています。

商売を始める前から、「すでにコミュニティがあるかどうか」で勝敗はほぼ決まっているのです。

だいたい商売に失敗する人というのは、

「お店を作ってから、お店に来てくださる方を中心にコミュニティを作っていけばいいんだ」

と思っています。

それで、お店を出す前は、ラーメン屋さんだったらいろんなお店で修行をしたり、

あるいは味を研究したりと、「いかにお客さんが喜ぶお店を作るか」という部分に集中します。

努力していることはわかるのですが、実際にお店を始めてからは、家賃や人件費などの固定費を払うのが大変になって、お店のコミュニティを増やしていくことに時間を割けません。

それで次に、

「味の良いものを出し続けていれば、コミュニティは必ずできるはずだ」

などと考えます。

確かにそういうことはあるかもしれませんが、世の中には「味の良いものを出す店」は山ほどあるのです。

それらのお店を回っていると、お客さんが次にその人のお店に来るのは１ヶ月後や２ヶ月後になってしまう。そして、特に激戦区のエリアともなれば、２回目に行ったら、もうその人のお店はもうなかった、なんていうことが起こるわけです。

「うまいラーメン」より「○○さんのラーメン」が上回る

ところが、**最初の時点でコミュニティがあれば、状況はすべて変わります。**

それはもう、出店したときから、コミュニティにとっては「待ってました！」なんです。

「ようやく○○さんのラーメンが食べられます」

なんていうことで、メンバーによっては毎日のように来てくれます。それもたくさんの友だちとともに！

それで固定費はまかなえてしまいますから、あとは新規のお客さんの開拓を頑張っていけばよい。失敗するはずがありませんね。

「そんなこと言って、お店ができてもいないのに、どうやってコミュニティを作るのだ」

と言うかもしれません。

しかしまさにそれが私のコミュニティで、自分で商売を始めようと考える全員がやっていることなのです。

まず彼らは、**できるだけ多くの仲間に、自分のやりたいことを公言していきます**。

「僕は将来、イタリアンのお店を出したいんです」

「美容師の免許を持っていて、自分のお店を出すのが夢なんです」

毎度のように告知し、ネットなどでも折にふれて言っているから、皆「そのときは応援するよ」と、もう楽しみにしているほどです。

もちろん声に出すだけではなく、手足も動かします。

たとえば、何かのパーティに参加したときに料理の腕前を披露（ひろう）したり、ヘアメイクした〝作品〟を写真で皆に見せたりしています。その人の成果物を見て、「この人は夢に向けて頑張っているんだな」と感じられれば、応援したい気持ちになりますよね。
そうやってコミュニティを作っていくのです。

幸せな億万長者の秘訣 4

出会う人たちに自分がやりたいことを話す

徹底した「子犬作戦」が人を動かす

もちろん、ただ自己アピールをするだけでコミュニティが拡張していく、ということはありません。人から好かれ、推(お)されるようになるための、ひたむきな努力が必要になります。
この点で、古き自己啓発の名著、デール・カーネギーの『人を動かす』（創元社）には、核心的なことが書いてあります。
それは次のようなものです。

「友を得る方法を学ぶには、わざわざ本書を読むまでもなく、世の中でいちばん優れたその道の達人のやり方を学べば良いわけだ。その達人とは……われわれは毎日路傍でその達人に出合っている」

ようするにその達人とは……子犬なのです。

「何の働きもせずに生きていける動物は、犬だけだ」
「犬はただ愛情を人に捧げるだけで生きていける」

あくまでこれはカーネギーさんの認識ですが、実際、子犬はお金を持っているわけではないし、情報も持っていなければ、性的な魅力を持っているわけでもありません。それでもキャンキャン寄って来て、しっぽを振ると、飼い主に愛されます。飼い主はこのとき、子犬から何も提供されていないようで、実は「自分は必要とされている」という重要な感覚を受け取っているのです。

これは何も相手に提供するものを持っていない人が、有力者に好かれるための重要な要素になるでしょう。

このことは、社外コミュニティのような場所でだけ通用する原則ではありません。読者の多くの方々が属しているであろう、会社組織にも十分に当てはまる話です。

実際、入社して1年とか2年という社員であれば、正直、実力的にそれほどの大差が出るわけではありません。

では、どんな社員が持ち上げられるかと言えば、上司にベッタリくっついて、

「これはどうやれば良いのですか？」

なんて、何度も質問したり相談して、

「ありがとうございます！　○○さんは凄いです！」

などと言っている社員ではないですか？

「うまく取り入りやがって」

などと憤慨（ふんがい）している方もいるかもしれません。

しかし、そういった、

「上司の自己肯定感を高める」

という行為は、お金がかかりませんし、簡単ですし、そのリソースには上限がありません。

こんな簡単なことをやらないだけで人生がうまくいかない人が、世の中にはたくさんいます。

誰もができるが、ほとんどの人がやっていないこの簡単なことを、私は「子犬作戦」と呼んでいます。

トップ営業マンからベストセラー作家になった友人のケース

実際に、どんなふうにコミュニティから成功者が生まれていくのか、身近な例としてＣくんを紹介しましょう。Ｃくんと私は非常に仲が良く、月に1回くらいのペースで一緒に旅行に行きます。

Ｃくんは、何冊も本を書いているベストセラー作家であり、講演家であり、コンサルタントであり、さらに飲食店も経営している、40代になったばかりの多才な人です。

Ｃくんは無駄にイケメン過ぎて、たまにイラつくことがありますが（笑）。

最初に私がＣくんと出会ったとき、彼はまだ大手パソコン企業に勤めている会社員でした。非常に評価の高い大手企業に勤めていて、しかもＣくんは若手ナンバー1の営業成績。

このまま会社員を続けていれば生活に困ることはなかったのでしょうが、営業の仕事がら、独立している社長さんに会う機会が多かった関係で、Cくんは自由な働き方に魅力を感じていきます。

でも、自分に何ができるかわからない。

そこで、Cくんは社外の勉強会に参加しようと思ったのです。

さまざまなコミュニティに参加したのち、友人の紹介で私たちが主催するセミナーにも参加しました。

そもそも営業でもナンバー1の成績を作っていたCくんですから、約束事は必ず守ってくれるし、会っていて非常に気持ちが良い。

心から信用できます。そして意気投合したあとは、私はCくんを仲間のお店にしょっちゅう連れて行ったのです。

私のコミュニティに仲間入りし、居酒屋さん・レストラン・ラーメン屋さんなどをやっているメンバーとコミュニケーションをとる中で、Cくんは、

「自分も独立ができるのではないか」

と考えるようになります。

Cくんは、飲食店のコンサルタントをしている私たちの仲間のもとで勉強をし、

独立するために必要なものは何かをピックアップしていきました。

そしてコミュニティ作りについても、自分が勉強した内容をネットや勉強会で惜しみなく発信していったのです。

その成果は、現在まで多数書いている本の著作にも反映されています。


私との出会いから3年が経ったころ、Cくんはついにお店のオーナーとなり、同時に会社を辞めて独立しました。28歳くらいのときだったそうです。

不動産事業の分野で私もお手伝いをしたのですが、それからのCくんの成功は本当に素晴らしいと思います。

コミュニティの誰かがビジネスを始めるのは、誰にとっても得

コミュニティというのは単純で、**中から成功者が出れば出るほど、自分にと**

って得になるのです。

それは、友だちが「お店を出した」という場合を考えればおわかりになると思います。

あなたが人を接待することが多い仕事をしていなくても、

「知人のお店がある」

というだけで、誰かを気軽に、かつ、少し特別な立場で招待することができるのです。

お店を出せば新しい人脈が広がり、資金力は増し、ノウハウも蓄積される。それがコミュニティ内で共有されるのです。

コミュニティはコミュニティメンバー1人のために。1人のコミュニティメンバーはコミュニティのために。

すると、「当たり前のことを当たり前にやる」ことの重要性もよくわかるのではないでしょうか。

当たり前のことを当たり前にやるあなたであれば、それだけですべての仲間があなたを応援してくれるのです。「成功する」とか、「億万長者になる」ということは、そんな当たり前や誠実さの延長にある結果に過ぎません。

億万長者だから愛されるのではなく、愛されるから億万長者になるのです。

幸せな
億万長者
の秘訣

5

毎日1つ、相手に愛されるような
「小さい行動」を欠かさない

あなたが「期限を切って、会社を辞めたほうがいいかもしれない」と、私が思う理由

愛される人が結果的に押し上げられて、幸せな億万長者になっていく。私はそう

信じているのですが、そんな原理原則が通じないことが多いように感じるのが、世に多くある会社組織です。

・学歴
・派閥
・学閥
・人種
・国籍
・性別
・年齢

などが謎の原因となって、その人の社内での成功や出世を決める。

こういった会社組織では最低限の社会のルールやマナーなどを学び、「期限を切って辞めたほうが良いかも?」と私は思うのです。

実績もないのに、部下に仕事を教えたがる上司に注意

大阪の私の家の近くに、「商売が学べる」ということで有名な会社がありました。

その会社と契約をすると、新人は、

「明日の何時に○○駅に来なさい」

と指示をされます。

指定された駅に着くと、会社は新人に大きな箱を1つ渡すのです。

新人がその箱を開けると、中にはギッシリと〝大福〞が入っています。

「今から、それを全部売ってきなさい」

「どうやって？」

「それは自分で考えてね」


何も教えない。当人は頭が破裂しそうになるまで考え、現場で汗をかく。

そのことでしか人は体得することができない。

そのことを知っているその会社は、

「上司が部下に仕事を教える」

という一般的な会社のルールを、完全に無視していたわけです。


中国の盗人の話をご存知でしょうか？

その昔、中国で、有名な盗人がいたそうです。盗人の子が大きくなり、「親父の後を継ぎたい」と言い始めました。

そこで盗人は、「ついて来い」と、一緒にお屋敷に忍び込みます。

一緒に忍び込んで、盗人のノウハウを教えてもらえるかと思いきや、父親はその屋敷にあった箱に息子を閉じ込めて、鍵をかけて逃げていってしまうのです。しかもわざと音を立てて、家中の人が大騒ぎして集まってくるように仕向けます。

「このままでは捕まってしまう！」

息子は必死で箱をこじ開け、散々な目に遭いながら、家に帰って来ます。

息子は「親父、ひどいじゃないか」と、父親に詰め寄りました。

すると父親は、

「これが盗人の仕事だから」

と、一言です。


前述した会社と数ヶ月契約したある男性は、

「元の会社で10年勤めて学んだことを、この会社では1ヶ月で学ぶことができた」

と言っていました。

そもそもなのですが、あなたの上司は会社員であって、億万長者ではありません。

サッカーのプロになりたければ、サッカーのプロから学ぶことです。

野球のプロになりたければ野球のプロから学ぶのです。

あなたが幸せな億万長者になりたければ、幸せな億万長者から学ぶのが当たり前では？

そのように考える私は、

「会社を辞めたほうがいいかもしれないね」

と繰り返し言っているのです。

幸せな億万長者の秘訣
6

「誰から学ぶのか」にこだわる

会社員の間に「絶対にやっておきたいこと」

「会社を辞めたほうがいいかもしれないね」

とは言いましたが、読者の皆さんの多くは現在、会社に属していることがほとんどでしょう。

それを「明日、辞表を出しなさい」なんて言っても、そう簡単できるわけがない。

本当にそれを実行した結果、失敗した人に、

「どうしてくれるんだ」

と詰め寄られても、私には何の保証もできません（笑）。
だから**急ぐ必要はないのですが、会社員の皆さんには、そうした心構えを持っておいてほしいのです。**

今の世の中、昔のように会社を「疑似の家族」にすることや、「長く続くコミュニティ」として依存することは、かなり危険なことではないでしょうか？

会社員の上司から学んでいては、たとえ会社で成果を出せたとしても、商売の感覚は身につきません。

自分はなんとかなると高を括り、社外にコミュニティを作らない。そんな人が40代、50代になって、

「今日、会社が倒産しました」

と社会に放り出される可能性は十分にあるのです。

なにせ人生100年時代ですからね。

それに対して、会社の平均寿命は、数十年と言われているようです。

そうでなくても定年はやってきます。仮に65歳で定年になった場合、あなたは35

年間、なんらかの形で収入を得なければならないわけです。

あなたは労働を続けることができますか？

健康は？

気力は？

私は、会社だけに依存して生きていくことなんて恐ろしくてできません。

では、会社にいることがすべて無駄かと言えば、そんなことはありません。

あなたが今、会社にいるのであれば、ある意味で非常にラッキーとも言えます。

あなたが会社員であれば、銀行からお金を借りやすくなります。

先のことを考えている一部の会社員の方は、会社に勤めているうちに融資を最大限受けて、不動産を購入しているようです。会社の信用と物件の担保力があれば、おそらく2億円くらいのお金を借りることができるでしょう。

その2億円で将来的な価値が認められやすく、担保力のある物件を購入するのです。

ここで重要なことは会社員でいるうちに、他人のお金を最大限使うということです。

言い方を変えると、**金銭的なレバレッジをかける**ということです。

幸せな億万長者は、

- **金銭的なレバレッジ**
- **人のレバレッジ**
- **頭脳のレバレッジ**

など、あらゆる分野でレバレッジをかけようとします。

会社員であるあなたも、金銭的なレバレッジをかけることが可能なはずです。

「17時以降」の時間は次のステップのために使う

ただ、億単位の借金をしてレバレッジをかけるともなると、実行する人は限られるでしょう。

しかし、あなたは「会社員である」というだけで、属性的に信用があります。
たとえば、引っ越しをしたことがある方はご存知でしょうが、家を借りるときに会社員なら審査が通りやすい。会社員のあなたは審査に通ることが当たり前と思っているかもしれませんが、商売人だとバリバリ儲けていても審査に落ちることがあるのです。

また、ブラック企業でもない限り、17時までの限られた時間内の仕事で、結果に左右されず安定した給料がもらえるでしょう。

変に贅沢をしたり、借金を抱えていたりしない限り、そのお金を社外の活動資金に回すことができます。

つまりは会社にいるうちは、そこでの稼ぎを利用しながら、「17時以降」の時間を使って次のステップへの準備ができるのです。それだけでも十分ではありませんか？

まだ不安ですか？
具体的な方法は、次の章から考えていきますのでご安心を！

幸せな億万長者の秘訣 7

会社員のうちに「他人のお金」を最大限に使う

「会社のお金」を使うことに慣れてしまうリスク

会社にいるうちは、そこでの稼ぎを利用しながら、次のステップへの準備をしようということを述べました。

ただ、**問題は「会社」に染まらないこと。**

「億万長者になろう」とまでは言わなくても、常に「いずれ私は独立して、自分の力でビジネスをやっていくんだ」という前提で、目の前の課題に取り組んでいくことです。

実際、私たちのコミュニティにも、「誰もが知っている大手企業に属していた」という人が多数参加をしています。

そういう人は事務的な仕事は非常にできるのですが、最初のうちは自分でビジネスをしている人と感覚がずれていることがあります。

たとえば、余裕のある大企業の感覚で無駄なお金をかけてしまったり、確度の低い投資案件に大きな資金を突っ込んだりします。

つまりは「自分のお金」と関係のない、「会社のお金」を使用して、あとは責任を取らないことに慣れきっているわけです。この感覚では自分が経営者になったときにかなり苦労することになります。

もっとも、こんな感覚の問題であれば、時間をかければ修正されていくでしょう。

それよりも**会社に属している人が一番損をするのは、**

「自分に限界を設けてしまうこと」

だと思います。

先のCくんのことを思い出してみてください。

彼は作家であり、講演家であり、コンサルタントであり、飲食店のオーナーだと紹介しました。でも、会社員であるときは、「飲食店のオーナーになる」なんて考えていなかっただろうし、おそらくは人生で描いていた夢ですらなかったと思うのです。

ところが世の中の「将来、飲食店を出したい人」の大半がそれを実現できないのに、彼は私のコミュニティでの活動を始めた途端、すぐにそれを実現しました。

会社のコミュニティと、私たちのコミュニティでは「当たり前」・「普通」が違うのです。

これは良い悪いの話ではなく、**環境が違えば、結果も違う**ということです。

アメリカという環境で生まれ育った人が英語を完璧に使いこなす。おそらくこれは「当たり前」・「普通」だと思います。

日本という環境で生まれ育った人が英語を完璧に使いこなす。これは「当たり前」・「普通」ではないと思います。

自分が属している環境・コミュニティ・土壌が変われば、当たり前や普通が変わり、「自分の限界」も変わる。このことを知ることが、幸せな億万長者になるための重要なポイントなのです。

成功する考え方の癖、成功しない考え方の癖

「お金持ちになる」という意欲を、最近の多くの人は、あまり持っていないと言われます。

確かにお金なんてなくたって、幸せになれるかもしれません。

今どきスマホ1台あれば無料の娯楽を楽しめるし、コンビニでだって美味しいご飯は食べられます。高級車だって、大きな家だって、なければないで、特に不便はありません。

ただ、少しだけ視野を広げてみてください。

世界中の行きたいところに、行きたい仲間と、行きたい期間行くことができればとても楽しいだろうし、最高級レストラン・高級車・豪邸が安全で快適である可能性は高いでしょう。

なにも私は、高級なものだけが良いと言っているわけではありません。

私は、**億万長者と平均的な人の違いは、「選択肢をどれだけ持っているか」**だと思うのです。

億万長者の人の選択肢はとても多く、平均的な人の選択肢はとても少ない。では、選択肢が多い・少ないという結果は、どこから生まれてくるのでしょうか？

それは、「考え方の癖」だと私は思います。

あなたは鉛筆を右手で持ちますか？　それとも左手で持ちますか？

長年生きてきた中で、あなたには身体の癖があるはずです。

それと同じで、**あなたの考え方にも癖があります**。

それは成功する考え方の癖と、成功しない考え方の癖です。右利きと左利きに優劣や良い悪いがないように、考え方の癖にも優劣や良い悪いはありません。

ただ、あなたが求めているものに対して効果があるかどうかです。


この考え方の癖を長年にわたって変えてきた私は、気づいたら映画制作を行なえるようになりました。

映画制作の話を平均的な人たちにすると、

「そんなの無理だよ」

と言われます。

しかし、億万長者の人たちに同じ話をすると、

「どうやったらそれを実現できるか考えてみよう」

などと言われます。

コミュニティや環境を変えれば、考え方の癖が変わり、自分の限界も変わる。ビジネスも、人生で起こることも、本当はこんなふうに、もっと想定外で、たくさんの可能性に溢れたものであるはずです。

本書をきっかけに、あなたがあなたの制限を超えてくだされば、とても嬉しいことです。

幸せな
億万長者
の秘訣
8

会社から見える景色を当たり前だと思わない

第2章

社外の「仲間」が仕事とお金をもたらしてくれる

——人脈ゼロ、スキルゼロから「コミュニティ」を作り出す方法

定時になったら集まる「基地」を決める

前章では、「今の時代、会社はあまり頼りにならないかもしれない」という話をしました。

むろん「脱サラをしなければならない」というわけではありませんが、今の時代に人生での成功を目指すのであれば、会社から独立して自分で事業を行なうことを目指すのが、有力な選択肢なのかもしれません。

本書の読者の多くは、「今、会社員である」という方がほとんどでしょう。だからもしも王道での成功ルールを目指すならば、まずは「**いつでも会社から独立できる人間になること**」を目指すべきかもしれません。

「独立する」というのは、転職することとは違います。

独立するのであれば、会社にいる間にそれができるだけの基盤を作っておかねばなりません。そこで本書でお伝えしたいのは、会社にいながらできる「最強のコミュニティ作り」のノウハウです。

ここで私自身の〝コミュニティ作り〟の話に戻れば、16歳のときに、皆でファミレスに集まったのが最初でした。

当時はスマホもない時代。携帯だって普及していたわけではありません。私はまだ10代だったし、今のあなたと状況はまったく異なるでしょう。

でも、ここには共通した大事な要素があります。

それは**まず「集まる場」を作る**ということです。

第1章でも述べましたが、より詳しくお話ししましょう。

私たちが子供のころ、近所の友だちと〝仲間〟を作れたのは、公園だったり、友だちの家だったり、あるいはどこかの空き地にこしらえた「ひみつ基地」だったりと、皆が集まる「場」があったから。集まる場がないのに、仲間ができるなんてことは、世の中にあるわけもありません。

もちろん、会社のオフィスや学校なども「人が集まる場所」です。

ただ、会社のオフィスや学校にはそれぞれの運営目的がありますので、自由にコミュニケーションをとることが難しい場合があります。

「会社」のような機能組織の場で、別のコミュニティを育てていくのは難しいのです。

よって、コミュニティを作るには、まず自由に皆が会い、話せる場所を作るのが出発点になります。

それはファミレスでも良いし、居酒屋でも良いし、自分の部屋でも、レンタルスペースでも構わない。もちろん現代の世の中では、「ネット」という便利なツールも活用できます。

幸せな
億万長者
の秘訣
9

まず「皆が集まる場所」を明確にしよう

「SNSのフォロワーは多ければ良い」は本当か？

ネットで仲間を作るというのは、Facebookであったり、TikTokであったり、あるいはX（旧Twitter）などのSNSを使って〝知人〟を増やしていく方法です。

すでに多くの方がいずれかの方法を使い、何らかのコミュニティに参加していることでしょう。

けれども多くの人が、その限界も感じているのではないでしょうか？

「どんなに一生懸命に投稿をしたって、コミュニティなんてまったく増えません。やめようかと思って……」

別に諦めることはありません。あなたを応援してくれる「コミュニティ」は必ず作ることができます。

しかし、多くの人は、**コミュニティ作りの前提が間違っている**のです。

まず、「コミュニティはすぐにできる」と勘違いしている人が多いです。

ネットでの投稿を続けていて、「なかなかコミュニティが増えません」という人に、「一体どれだけ継続しているの？」と聞けば、「3ヶ月です」とか、「2年です」などと答えます。

しかし、そんな短期間でコミュニティができる、ましてはそれが成功する、なんてことがあるのでしょうか？

私は**どの分野でも、最低3年間は地道に継続することが大事だ**と考えています。

たとえば私は、震災の後、家業である建築業で見習いのようなことをやったことがあります。そのとき職人さんから、

「現場で1人前の仕事ができるようになるには、最低でも3年はかかる」

と、よく言われました。

10年頑張れば、更地の前で図面を持って立ったとき、着工から竣工(しゅんこう)までが頭の中で思い描けるようになると言われたものです。

コミュニティも3年くらい継続してからようやく物事がうまく回り始め、10年経ったら現実がかつての夢を追い越していた、という状況になるのではないでしょうか？

次に、**多くの人が知人と仲間を区別していません**。

ネットで作りやすいのはあくまでも知人であって、あなたと負荷をかけあい、目標を達成していく仲間ではないことが多いのです。

誰かがあなたを知っていることと、誰かがあなたを全力でアシストすることは別物ですよね？

ネットだけの活動で、あなたは仲間を作ることができるでしょうか？

ネットだけでつながった知人が、あなたが出店したラーメン屋さんに頻繁に通ってくれるでしょうか？

ネットだけでつながった知人が、人手が足りないときに、あなたのお店のスタッフとして汗をかいてくれるでしょうか?

私は非常に難しいと思います。

誰かと出会ったきっかけはネットであったとしても、リアルに会う機会を効果的に作り、じっくりコミュニケーションをとることで、知人が仲間になることはあります。

幸せな億万長者が常に求めているのは、知人ではなく〝仲間〟なのです。

幸せな億万長者の秘訣 10

ネットの「人脈」とリアルの「人脈」の違いを知っている

ファミレスから会議室、そしてレンタルスペースへ

私自身は先ほども述べたように、スマホもない時代からファミレスを起点に、アナログでコミュニティ作りをしてきました。そのため、あなたがリアルな場でコミュニティを育てていく際の参考になると思います。

とにかく私たちの集まりは、当初、烏合の衆でした。

「何をやるのか」すら、まだ明確になっているわけではありません。

ですから、その**「何をやるのか」を見つけるために、皆でビジネスについて勉強をしたり、商売をしている人の話を聞いたり、皆で意見を出し合うような勉強会を作ることから始めた**わけです。

ひとまずファミレスに集まって、私が勉強したことを皆に話せばよいのでは……？

でも、ファミレスで講義をするのでは、お店にも他のお客さんにも迷惑がかかってしまいます。

それに人が何かを得ようとする際に「場所」の雰囲気はとても大事です。

相手の話にじっくりと耳を傾けて、かつ自分と向き合い将来のことを考えるのに、ファミレスは不向きかもしれません。ファミレスでプロポーズする男性はあまりいませんよね（笑）。

だから人数がある程度増えたら、会議室のようなところを借りて、勉強会のときにはそこに集まることにしました。

これがやがては、レンタルスペースの発想につながっていったわけです。

とにかく3人、価値観の合う人との出会いを待つ

もっとも、そこまで行くにはやはり時間がかかる、というのが私の本音です。

これは私の感覚ですが、あなたと一緒に「このコミュニティを世界一にしよう！」と本気で思う仲間が3人できれば、そこからどんどんコミュニティは発展していく可能性があります。

しかし、その〝たった3人〟の仲間がなかなか集まらないのが、コミュニティ作りの難しいところなのです。

そこで大切なのは、**最初は「質」を求めるのではなく、集める人の「数」にこだわること**。何事も量から質を生むのです。

私たちは、「この人が仲間になったら心強いな」という人に執着しがちですが、たいていそういう相手はコミュニティに入りませんし、定着しません。

また、「付き合いが長ければ、仲間になるのか」と言えば、そうでもないことが多いと感じます。

たとえば、私には小学生からの旧友が数名います。彼らは私が16歳のころから仲間作りを始め、億万長者になっていく様をずっと見てきています。

もし彼らが私の仲間になっていれば、大きな成果を作っていたかもしれません。

実際、私は彼らを誘ったことが何度かありました。

でも、彼らはやらない。

つまり、親しいし、信頼できる相手だからといって、一緒にコミュニティ作りをやるとはかぎらないのです。親しいし、信頼できる相手だからといって、あなたと同じスポーツをやるわけではないことと、同じですね。

これが会社であれば、「組織のルールだから」と、強制できるかもしれませんが、皆が自由にやっているコミュニティでは、やる気がなくなればすべてが終わりになってしまいます。

だから結局のところ、**たくさんの人にコミュニティの価値を伝え、価値観の合う人だけが残る**。こういうことを延々とやっていくことだと思うのです。

すると気づいたときには、質が担保された〝3人の仲間〟が誕生します。

私たちがコミュニティを始めたときは、まだネットが普及していませんでしたから、コミュニティメンバー募集の手製チラシをいろんなところで配っていました。

そうしているうちに、いつのまにか一緒にチラシを配っていた古くからの仲間はコミュニティから卒業したのに、チラシを見て新しく参加した人とは、今でも続く良い関係になっている……なんていうことはよくあります。

とにかくコツコツと、自分の考えや価値観を理解してくれる人を増やしていくことです。

そして、軌道に乗ったコミュニティはどんどん拡張していくのです。

幸せな億万長者の秘訣 11

「最強の３人」が機能するまで、いろいろな人に声を掛け続ける

定年退職してからだって、コミュニティ作りは可能

前章ではコミュニティを作り、その仲間にお客さんになってもらったり、アシストしてもらうことで、お店を回していくやり方を紹介しました。もちろん、あなたも仲間のお客さんになったりして全力でアシストします。

コミュニティの仲間がたくさんいるということは、最初から固定客がたくさんい

ることと同じです。

なのに**コミュニティ作りの前に商売を始めてしまうと、絶対に無理とは言いませんが、大きなリスクを抱えることになります。**

たとえば定年を迎えた会社員が、退職金で居酒屋を始めたとします。

その際、元部下が、

「あの上司がお店を出すなら、何がなんでも行かないと！」

などと思うでしょうか？

元上司と元部下の関係は、もはやただの知人です。恐らく元部下は、元上司のお店に行かないでしょう。

何の意図もなくお店の経営をしていても、いきなり常連客ができるわけでも、コミュニティができるわけでもない。

なのに、会社員のときはそれについてまったく考えず、準備もせず、

「退職したからイチから始めよう」

などと商売を始めるのです。

これで「うまくいく」と考えるのは無謀だと思いませんか？

芸能人や経営者のコミュニティの立ち上がりが早いのは、彼らには最初から「知名度」があるからです。

でも、一般の人はそんな知名度を持っているわけではないのです。それなのに、最初から自分自身の魅力だけで勝負しようとするのですから、当然コミュニティ作りに苦戦します。

しかし、それで良いのです。

それが良いのです。

そうやってコツコツと地道にやることで、コミュニティ作りの感覚を磨いていくのです。

念のため記載しますが、私は芸能人や有名な経営者がコミュニティ作りで有利だとは思いません。知名度があることと、コミュニティ作りとは関連性がないからです。このことについては本章のあとのほうで述べますが、成功する人はちゃんと「やるべきこと」をやっています。

だから知名度を上げることなど不要だと、私は心底思っています。実際、私が知っている幸せな億万長者には、知名度の高い人はあまりいないのです。そのことはあとの章で説明しましょう。

いずれにしろ最初の時点で、コミュニティの仲間同士の関係は、一定の指揮系統はあったとしても対等でなければなりません。

「俺について来い！」などと言い、自力で多くの人を束ねることなんて、まず無理です。それよりも、「皆で一緒に勉強しよう」などという形で人を募ったほうが、コミュニティのメンバーは集まりやすくなります。

もちろん、方法は勉強会だけではありません。それこそ、「皆で釣りをやりましょう」でもいい。「集まって何かをする」という機会を作ることから、どんなコミュニティも始まるのです。

とはいえ、ただ「釣りをやりましょう」では、3つの資本を作るという点で効果的ではありません。

ここで必要なのは**イベントを考える「企画力」**なのだと思います。

大切なのは「知名度」より、企画力

前項の例を、さらに深掘りしてみましょう。

「皆で釣りをやりましょう」では、あまり魅力がない。

では、どんな釣りイベントをやれば、たくさんの人から魅力的に思われるでしょう？

たとえば実際の釣り具メーカーに企画を持ちかけて、日本で参加人数が一番多い釣り大会をやることは可能か……？

東京湾の深海魚とか、異常な大きさの魚が見つかっている場所で、「幻の○○を釣る！」なんていうイベントを、大手釣り雑誌などのメディアをスポンサーにつけて仕掛けることは可能か……？

などなど。できる・できないは別にして、そんな「夢」を出していくことから、コミュニティは活性化していきます。

まるで学校の文化祭ですが、よく考えれば一般の会社だって、

「この会社で何か面白いことをやろうぜ！」

などと考えることから拡張が始まっていくわけです。

大学の仲間が集まって、

「何か面白いことをやろう」

と考える。すると1人が、「こんなネットコミュニティを作ったら面白いんじゃない？」とサイトの構想を語る……。

そんな集まりが世界的な大企業になり、時価総額数兆円になる。アメリカの巨大な企業は、こんな「仲間同士の語らい」の中から生まれていることが多いと聞きます。

このように、**コミュニティの拡張は、「これをやったら面白いよね」と考える人をどれだけ輩出できるのかが重要**なのです。まかり間違っても、居酒屋で誰かの悪口や、会社の愚痴を言い合うのはやめましょう。

幸せな億万長者の秘訣 12

居酒屋やカフェで集まった仲間同士で「未来の計画」を語り合う

今は、企業や公共団体も動かせる時代

やる意義があるし、可能性も見える企画であれば、大手企業や老舗(しにせ)企業などともコラボレートしやすくなります。

たとえば私たちのコミュニティでは、大手デパートとコラボレートして、SDGs

のイベントを開催したことがあります。

たまたまコミュニティの中で、エコな服や、フェアトレードのお菓子を作ってている人などがたくさんいて、こういった企画が立ち上がったのです。

実際、発想力と行動力とコミュニティがあれば、今の時代、大手の企業や公共団体など大きな力を動かすことも可能です。

企画に賛同してくださる人や会社とコラボレートすれば、必要な人脈や資金を得られることが多いですし、**仮に儲けが出なくてもノウハウを蓄積できる**ので十分なのです。

むろん、本書で述べている幸せな億万長者たちが、必ずしもこうした活動をしているわけではありませんが、現代では、新しい成功の仕方が続々と生まれています。

コミュニティを作り、面白いことを企画して、大手の企業や公共団体などとコラボレートしながらプロジェクトを進めていく。

その資金はクラウドファンディングで集める。

こんなことであれば、17時からの活動でも実現可能かもしれませんね。

「コミュニティ」を作ることで成功した人々

企画力で人を呼び込むと同時に心がけていきたいのは、**「自分自身を売り込んでいく」という姿勢**です。

それは前章で述べたように、まずコミュニティに属すところから、自分自身のコミュニティを作っていくという動きになります。

実際、コミュニティが生まれていくことで、ビジネスはより大きく発展していきます。

たとえば私たちのコミュニティに参加した人で、証券会社で働いている若い男性がいました。

もともとは投資を勉強する会に参加していたのですが、

「もっと自分が面白いと思うことをやっていきたいな」

と考えるようになっていきます。

彼がもともと興味を持っていたのは、ファッションやデザインでした。着ている服も非常にオシャレだったのですが、グラフィックソフトなどを使って、アートを描くのも好きだったのです。

そこで彼は自分独自のデザインを、コミュニティ内にどんどん披露していったのです。やがてそれをTシャツやバッグにしてブランド化していきます。

そして仲間が作った小売店で、売ってもらうように交渉もしました。

これがいつのまにかアパレルブランドになり、彼はやがて独自のショップを立ち上げます。

その延長で、今は美容関係のお店など、新しいビジネスに挑戦しようとしているのです。

また、別の仲間なのですが、飲食が大好きで、自分でも料理ができる研究家タイプの人間がいました。

彼は企業に勤めながら、まずはフードアドバイザーとして、「お店を出したい」という人に料理のアドバイスをすることから始めたのです。

彼はどこに行っても人気のメニューを考えるし、店舗運営についてのアドバイス

今が買い時です
昼間は証券マン…
楽しい
17時からはファッションデザイナー!!
商品化!
TONARI
17
どう思う?
コミュニティ
いいね
買いたい
販売店へ
Shop

も的確。皆から喜ばれる存在になっていきました。

そうしてコミュニティを拡張させたあと、満を持して、都内に飲食店を出したのです。

期待のアドバイザーがやっと自分で出した、独自のお店。コミュニティにとっては、まさに「待ってました」というオープンでした。

繁盛しないわけがありませんね。

今や彼のお店は、月商で1000万円を稼ぐほどの、人気店になっています。

いくら美味しいとはいえ、競合店が軒（のき）を並べる、東京の激戦区なのです。コミュニティの支えがあったからこそ、この成功につながったのではないでしょうか。

2人のように、「熱狂的なほどに好きなことがない」という方も大丈夫です。

まずは、コミュニティに属し、その中で、ゆっくり自分のコミュニティを増やしていけば良いのです。

商品化するほど自分のスキルに自信を持てないという人も、コミュニティを「壁打ち」代わりにして、「こんなのはどうかな？」と意見を聞けばいい。

週に2、3回こうした機会を持てば、17時以降の活動に限定したとしても、1年後にはいつでも独立可能な状態になっているかもしれません。

カレーに詳しくなくても、「彼女のカレー屋」だから人が集まる

ここで、Jさんの話をしましょう。

もともと大手企業の実業団のメンバーとして活躍していたJさんなのですが、不景気で部が潰れ、事務職になってしまいました。

そんな憂鬱（ゆううつ）な時期にJさんは私と出会い、自分のコミュニティ作りを始めます。

当初Jさんは、皆でスポーツをやったり、カラオケに行ったり、遊びに行くことが多かったと思います。やがてビジネスも始めるのですが、それがなんとカレー屋さんなのです。

「なぜカレーなんだ？」

仲間全員がそう思ったのです。

別にJさんはカレーに詳しいわけでもないし、自分で料理するわけでもない。

でもJさん曰く、

「自分が美味しいカレーを食べると元気が出るの！　だから、自分がオーナーとしてカレー屋を出して皆に食べてもらいたいと思ったの」

だそうです。


コミュニティからすれば、Jさんが出す料理がカレーでも、ラーメンでも、ハンバーガーでも何でもいいのです。

「こうだったら応援する」ではなく、「無条件で応援する」のがJさんのコミュニティです。

当然、コミュニティはJさんを全力で応援しました。

その結果、Jさんのカレー屋は、出店していきなり某超有名カレーグランプリで優勝したのです。一番驚いていたのはJさんで、私は少し引きました（笑）。


ただ、いくら大きなコミュニティを作っても、冒頭でも述べた「当たり前のこと」ができないと、すべては打ち消されてしまうことになります。

だから幸せな億万長者になる人ほど、その「当たり前」だけは絶対に守っているのです。

幸せな億万長者の秘訣 13

コミュニティの中で自分の創作物（考え）にお金を払ってくれる人を10人作る

時間、お金、能力を惜しみなく人のために使う

そろそろ、コミュニティを拡張するために必要な人間力について知りたいと思ったのではないでしょうか？

「当たり前のことを当たり前にやる」のは当たり前。そのうえで、人に好かれる条

件はいくつかあります。

前章では「子犬戦略」の話をしましたが、子犬が人から好かれるのも、愛想を振りまくことによって人に幸福感を提供しているからです。

だから大勢のファン（コミュニティメンバー）を獲得することができます。

これは、タレントや、ある種の「スター」と呼ばれる人も同様で、皆、**コミュニティメンバーに「何かを提供すること」から始めている**のです。

芸能人であれば、歌のトレーニングやダンスのレッスンをするでしょう。

講演家であれば、ビジネスハウツーを学んだり、話術を磨いたりすると思います。

提供できるだけのものが何もないのに、多くの人を集められるはずがありません。

「誰かのために何かをする」という、小さな行為にしたって同じなのです。

子犬だって、無愛想にしていて近づくこともなく、ただ自分の餌ばかり食べている状態では、あまり好かれることもないでしょう。

たとえば、自分を売り込むのは熱心だけど、誰かが主催しているイベントのスタッフはやらないし、興味がないセミナーなどには参加をしない人がいたとします。

そういう人は、

「あの子は自分のことばかりで、他人にはまったく力を貸してくれないね」

なんて思われていきます。

だから「自分が得をしたい」のであれば、「誰かに得をさせること」を、まずは考えなければいけません。

私はこれを「究極の利己主義」と呼んでいます。

自分が仲間にしてほしいことを、まず自分が行なうのです。

そして神経質なくらい、自分が行なったことの結果と評価を気にして改善する。

そのくらいの人のほうが、成功することが多いと思います。

そう考えれば、確かに億万長者レベルの人は、「気前が良い人」が多いように思います。

たとえば弁護士とか、公認会計士とか、税理士という職業の方々は、法律に基づいて仕事をする人ですから、損得上で「無駄な仕事をしない」という印象があります。

ところが、億万長者レベルで稼いでいる人というのは、無料の法律相談だったり、あるいはちょっとした頼まれごとを無償で引き受けたりと、案外と気前よく〝無駄〟をやってくれるのです。

だからそのぶん、本業以外の講演や執筆の仕事が入ってきたり、あるいは大きなクライアントさんに気に入られて、高額な顧問契約を結んだりしています。

人に出したものは、最終的には自分に返ってくるのです。

幸せな億万長者の秘訣

14

やってほしいことがあれば、まず自分から相手にやってあげる

コミュニケーションツールを有効活用するコツ

会社を超えたコミュニティを作るために、本章ではまず「どこかに基地を持つ」というところから始めました。その理由は「定期的に顔を合わせる機会を作るため」ですが、そうでないと組織は簡単にバラバラになってしまいます。

そして、コミュニティをうまく機能させるためには、**結束力を高めるような「仕組み」を作っていく**ことが必要です。

その点、便利なツールがある現在は、仕組み作りもやりやすくなっています。LINE、Slack、Facebookなどを使い、グループ内で頻繁にコミュニケーションをとることができるわけです。

実際、私たちのコミュニティでも、LINEなどのツールを広く活用しています。

特にプロジェクトが回り始め、ビジネスが動き始めてしまえば、コミュニティも企業と変わらなくなります。

「そんなのすでにやっている」と思うかもしれません。

では聞きますが、そのツールであなたのコミュニティは活性化していますか？

何ヶ月も放置されてたり、誰か1人だけが投稿していたりしていませんか？

コミュニティ内でLINEなどのツールを活用するうえで大事なのは、全員が発言する機会を作ること。

進捗状況を確認するために、報連相を繰り返したり、日報のようなものを送り合うとよいでしょう。


オフィスのようなものがなければリモートでも構わないのですが、顔を合わせるミーティングは定期的に行なうべき。その前段階であれば、グループチャットを作って、意見交換をし合っておくことです。

何よりあなたがコミュニティのリーダーとなり、それを拡張しようという意志があるのであれば、自分の考え方や目標、アイデアなどを、自身が率先して発信していくとよいでしょう。

とにかく、改善を繰り返しつつ投稿を止めないことが大事です。

「共通言語」を作る意味

私は、コミュニティが成功するかどうかのカギは、「共通の言語」を、皆が共有しているかどうかだと思っています。

共通の言語や価値観がなければ、一体感を持った動きが生まれることなどありません。

私たちは主に研修を通じて、「共通の言語・価値観」を持つようにしています。

共通の言語とは、英語のようなものです。

たとえばドイツ人、日本人、フランス人、韓国人が集まって、プロジェクトを進めようとしたとします。その際、それぞれがそれぞれの言語でプロジェクトを進めようとしてもうまくいきません。

このとき、英語を共通の言語として使えば、プロジェクトはうまくいくはずです。

日本人が同じ日本語を使っている場合でも、人によって同じ単語を違う意味に解釈する場合があります。

ここで質問ですが、**あなたにとって「4」はどんな意味を持ちますか？**

私たちにとって「4」は「無条件で与える」という意味です。意味不明ですよね（笑）。

逆に言うなら、これが共通の言語を持つということです。

そして**共通の言語を持ったうえで、共通の価値観を持ちます。**

私たちの場合、

・人にしてもらいたいと思うことを、まず人に行なうこと
・求めるものを、明確に、具体的に、肯定的に決めること
・結果を先に決めて、原因を後で作ること
・大切な人が大切にしていることを大切にすること
・他人や状況、環境のせいにせず、結果の原因は自分の選択であるというところに立つこと
・他人との比較ではなく、過去の自分を超えること
・思いを具体的な行為に移すこと
・共に勝つこと
・基本を愚直に徹底的にやること
・言葉以外の93%で表現すること

などです。

そして共通の目標を決めます。

たとえば「コミュニティメンバー全員が資産1億円を達成する」であれば、それでも構わないのです。

しかし、同時に、「どういう人がお金持ちになるのか」とか、「そもそもお金を儲けて何をするか」を考える必要がある。

言語化して定義するくらいまで、具体的に話し合うのが良いでしょう。

共通の言語、共通の価値観、共通の目的、共通の目標がない人たちが集まり、草野球をやったとします。

当たり前なのですが、そういう人たちが草野球を10年続けても野球のプロになることはありません。野球のプロになるのであれば、目標などの初期設定が重要です。

この**「初期設定を明確にする役」は、コミュニティを立ち上げる人間にしかできないこと**。

あなたがコミュニティを立ち上げるのであれば、率先して旗振り役を努めていく必要があります。

幸せな
億万長者
の秘訣

15

勉強会を開催して、コミュニティの目標をみんなで決める

意思決定はする。ただし公平に！

今の時代に「会社」というのは、頼りにならないかもしれない。

そこで自らが中心となったコミュニティを作って、3つの資本を手に入れていく。

それが、幸せな億万長者にたどり着くコースだと思います。

ユダヤの成功者たちが世界中にネットワークを張り巡らせたり、華僑（かきょう）の億万長者が遠く離れていながらも連携したりしています。

あるいはベンチャー経営者が、革新的な商品やサービスを世に出したりしながら世界的な規模で活躍している。

しかし、**みんな、出だしは同じです。**

「小さな仲間」を育てていくことで、「大きな成功」につなげているのです。

ただ、会社を離れたところにコミュニティを作る以上、そこには「会社を超えた魅力」があることが重要です。

たとえば、会社で束縛され、自由に自分のやりたいことができないから、社外のコミュニティに参加した。

それなのに主催者のあなたが、がんじがらめのルールを作り、会社以上のストレスを皆に押し付けるというのなら、参加者がコミュニティに参加するメリットはほとんどなくなってしまうわけです。

一方で、**意思決定者が明確でないと、コミュニティであろうが、会社組織であろうが、人の集まりは機能しません。**

たとえば、皆で野外イベントに参加し、「喫茶店をやろう」ということになったとします。

そのとき、

「では、何か1つ食事のメニューを出そう」

という話になり、Aさんは「カレーを出したい」と言い、Bさんは「オムライスを出したい」と言う。

このとき、

「意見がまとまらないから、両方を混ぜたカレーオムライスを出しましょう」

という折衷（せっちゅう）案を採用したら、AさんとBさんは満足かもしれませんが、肝心なお客さんが誰も食べたいと思わないメニューになっているかもしれません。


だからこのときは、「オムライス」なのか「カレーライス」なのかをハッキリ決める意思決定者が必要です。


そして**意思決定者は、公平であることが重要です**。

つまり、

「皆がオムライスにしたいのに、自分はカレーを提案したAさんが好きだから、カレーにする」

とか、

「実家が魚屋さんで、利益を得たいから」

と、強引に寿司にするようなことをしたら、やはり皆は離れていってしまう。

年齢・性別・国籍・人種など関係なく、自分たちが目指している方向に向けて、皆が納得する舵(かじ)取りを公平に実行していくことが、コミュニティの意思決定者・リーダーには求められるわけです。

この点は人間性の話であり、第1章で述べた「当たり前のことを当たり前にやる」という話にも通じてきます。

あなたのコミュニティが大きくなれば、どんなときも反対意見は出てくるし、自分が望むものと異なる声だって聞かされるのです。リーダーであるあなたはその都(つ)度(ど)、意見を丁寧に聞き、協議をしたうえで、

「皆の意見はわかりましたし、十分に協議をしました。で、本件はAにします」

などと明確に意思決定をします。

このとき重要なことは、**仲間と十分に協議するが、意思決定の際、仲間の同**

意は不要とすることです。

「仲間の同意がなければ意思決定できない」という組織は、確実に滅びると私は考えています。

当然ですが、これを実現するには、あなたが日頃から公平であり、コミュニティの拡張に一番コミットしていることが必要です。

幸せな億万長者の秘訣 16

自分の意見は常に明確にしておく

これをやる人は、コミュニティから嫌われる

私がコミュニティ作りをしている中で、**絶対に仲間に入れたくないのは、なに**

より**「悪口を言う人」**です。

そんな私が新しくコミュニティに加入しようとする人の面談をする際、必ず聞くことは、過去の仕事と人間関係です。

「私は努力したのですが、会社が認めてくれなかったんです」
「前の会社は最悪でした。上司も能無しだった」
「私の家族は最低なんです」
「私の元カノは酷い女で」

繰り返しますが、過去関係があった人たちや会社の悪口を言う人は、私は絶対に仲間に入れません。

私のコミュニティには人が自由に出入りします。秘密結社ではありませんので(笑)。

すると、先月まで私たちのAというコミュニティに参加をしていた人が、来月はグーグルと契約をして働き、再来月は私たちのBという別のコミュニティに参加をするなんてことは、しょっちゅうあるわけです。

そこで、前の会社の悪口を言うような人は、私たちのコミュニティの悪口を、別のところで吹聴する可能性が高い。非常にリスクが高い人間と考えざるを得ません。

もう1つ。コミュニティが大きくなれば、「Aさんのコミュニティに参加していた人」が、「今度は別のことに興味を持ち、Bさんのコミュニティに参加するようになる」ということもしょっちゅう起こります。

このとき悪口を言う人は、Bさんのところで、AさんやAさんのコミュニティの悪口を、散々に言う可能性もあるわけです。こういうことが原因で、コミュニティの中でトラブルが起きるかもしれない。

だからコミュニティを束ねるリーダーは、悪口を言う人を極めてリスクが高いと感じるのです。

むろん、これは一般企業でも同じように考える経営者や採用担当者が多いでしょう。転職の際に、前の会社の悪口を言う人を高く評価する経営者や採用担当者はいないはずです。

お金を稼げる人になりたいなら、極力、悪口を言うことは控えるべきだと思います。

逆に前の会社のことを、

「僕は前のあの会社のことが今でも大好きです。僕は前の上司を心から尊敬しています」

なんて言う人は、ものすごく高く評価されるのです。

コミュニティを運営する人間にとって魅力的なのは、人を褒めたり、価値を付けることが身についている人です。

その人がいるだけでコミュニティのモチベーションが上がりますし、外部では私たちの評判を常に高めてくれます。

だから飲み屋さんとか飲食店で、そんな素敵なスタッフさんを発見したら、私はすぐに、

「スタッフ募集してるんで、もしここを辞めるときがあったら言ってくださいね」

などと声を掛けます。

このように私は赤の他人によく声を掛けていて、その中から億万長者もたくさん生まれています。私の仲間の億万長者も、「一本釣り」に長(た)けている人が多いですね。

普段の態度がチャンスにつながっていることを、私たちはもっと考えておくべきでしょう。

幸せな億万長者の秘訣

17

他人の悪口は言わないこと。たとえ相手の敵に対してでも！

第3章

どこに出向き、どんなふうに自分をアピールするか？

——チームの輪を広げる「すごい仕組み」

「そこそこ成功するラーメン屋さん」と「ラーメン事業で億万長者になる人」の違い

前章までに私は、「会社」の発想を頭から追い出し、コミュニティを作ることによって自立していく考え方を述べてきました。

でも、**それだけでは「起業家」にはなれても、「億万長者」にはなれません。**

そこそこの起業家で終わる人も、億万長者レベルの成功者になる人も、「仲間を作ってビジネスを大きくしていく」という点では違いはありません。

ただ、**大きく違うのは「仲間」の規模**です。

信じられる仲間たちと、小規模なビジネスを続ける。

それはそれで楽しいのでしょうが、成功の規模はどうしても限られます。

一方で、世界中に大勢の仲間がいて、それぞれがたくさんのビジネスを展開する。

そんな状況になれば、必然的にお金がどんどん入ってくることになります。

むろん、その間にはいくつもの段階があるのでしょうが、どうすれば「仲間うちのビジネス」を世界レベルにまで拡大できるのか？

本章ではその考え方を述べていきましょう。


まず、「仲間うちのビジネス」を広げるには、ビジネスそのものの考え方を変えなければなりません。

たとえば、あなたはラーメンが好きで、たくさんの人に美味しいラーメンを食べてもらえるようなお店を作りたいと思っているとしましょう。

あなたは、まず何をやりますか？

よくあるのが、とにかくラーメン作りの修行をすることです。

自ら美味しいラーメンを作る腕を磨き、「これだ」というレベルの味を安定して提供できるようにする。

そこまで完成形ができれば、あとは簡単です。

コミュニティを作り、開店と同時にお客さんがひっきりなしに訪れるやり方は、すでに前章までで紹介しました。家賃、人件費、食材の仕入れ費を超える売上を出せるだけの「仲間＝お客さん」を確保し続ける限り、お店は維持できます。

ラーメンの味が認知され、お客さんがお客さんを呼ぶほどの評判があがれば、お店の売上はどんどん上がっていくでしょう。

ただし、お店で出すラーメンが「あなたが作るもの」である以上、出せる量には限界があります。

一方で、**美味しいラーメン作りの研究をした。でも、「それを自分で作って、お客さんに提供することをしない」という道もあるのです。**
たとえばレシピを作って、料理は誰かに作ってもらうようにする。
それで自分は、「お客さんがたくさんやってくるラーメン店」のコンセプトを考えるのです。

これであれば店舗をいくつも出せるし、いずれは日本全国に、あるいは世界でだって売っていくことができるようになるかもしれません。

あるいは「ラーメン店」という発想はやめ、レトルトとか、冷凍食品で食べられるような商品を作る。

そして自分は販路を拡大させたり、通販で売るなど、マーケティングに徹していく……。これも成功すれば、かなりの売上レベルが期待できそうです。

どちらもラーメン好きな人がたどり着くゴールであることに間違いはないのです。

一般的には、「ラーメンを食べて喜んでいるお客さんの顔を見たい」という前者のほうが普通なのかもしれません。

人生を通じて好きなだけラーメンが作れるのだから、充実感も大きくなることは確かでしょう。

でも、そんな個人的な幸せで満足せず、もっとたくさんの人に「仕組み」で貢献するようなビジネスを選ぶかどうか。これが幸せな億万長者になる・ならないの、分かれ道なのかもしれません。

コミュニティの仲間が出資すれば、「持ち出し0」で開業も

コミュニティが大きくなれば、ビジネスの可能性はいくらでも広がっていきます。

たとえば、たくさんの会社が誕生しているから、それを世の中に宣伝する広告代理店を作れば、うまくいくのではないかとか。

あるいは、引っ越しは手間と費用が大変だろうから、コミュニティ内で不動産会社を立ち上げれば役立つのではないかとか。

どのビジネスも、コミュニティの需要で、採算はとれる可能性が高いのです。

さらにコミュニティを超えた営業をすれば、売り上げ、利益ともに桁を変えることができます。

コミュニティの役に立つ新プロジェクトであれば、仲間たちが「投資」をすればよいのです。新プロジェクトは、それを考えた仲間が仕切ればよい。

その仲間は信用できる。

それで最終的には、投資した全員が儲かっていく。

華僑やユダヤ人コミュニティが成功者を多く輩出するのは、皆がこんな「投資家」の発想をするからだと思います。

投資において大切な視点については、第5章でくわしく説明するので、お楽しみに。

幸せな億万長者の秘訣

18

信用できる人に思い切って「投資」をする

「人を褒め合う組織」を作る

コミュニティにおける、「褒める効用」について述べておきましょう。

私たちのコミュニティでは、誰かが何かを達成したときや、良い提案をしたときなどに、

「すごいね」

とか、

「面白いね」

とか、

「よくやったじゃん」

と、リアルの場でも、ネット上でも、大げさに見えるほど褒め称えることを推奨しています。

これは私たちのコミュニティにおける、「**文化**」のようなものだと私は考えています。

「文化」というからには、それが通じないと、私たちのコミュニティ内では、何か

と居心地が悪くなります。

たとえば私たちの仲間が2人いる場に、新しい人が1人、参加したとしましょう。

「すごいね」「すごいね」「すごいよ」……と、2人が大感動している傍ら(かたわ)で、参加回数の少ない1人がキョトンとしている。

これが、何回か回数を重ねるうちに、キョトンとしていた1人も、いつのまにか「すごいね」の1人になっている。

そんなふうに「褒める文化」はどんどん伝染していくのですが、実はこのことが、「たくさんのプロジェクトがうまくいくコミュニティ」を作っているのも事実なのです。

その理由は、**この文化が、**

「過去の自分を超えようとするモチベーション」の土台になっているからだと思います。

対面で話すことによる意外な効用

今の世の中の、ビジネス環境を考えてみてください。

最近はリモートワークをするところが増えました。それは非常に効率的なのかもしれませんが、一方で仕事への意欲を失う人や、鬱のようになってしまう人が増えているようです。

どうしてかと言えば、通常なら普通に行なわれているはずの「声かけ」が、行なわれなくなっているからです。

たとえば、1日頑張って働いた社員が退社をする際、上司から「ご苦労さま」とか「お疲れさま」とねぎらわれる。

思うほど結果が出なかった場合でも、その努力をずっと見てきた上司や同僚が、

「君はよくやってたよ」と慰めてくれたりする。

そんなの必要ない……。

そう思っている方も多くいるでしょう。

確かに結果が出て、お客さんが増えたり、売上が上がってきたりすれば、誰かに褒められなくたって自己を高く評価ができ、「引き続き頑張ろう」という気持ちになります。

でも、その結果が出るまで、まったく報（むく）われることがなければ、それはかなりの苦痛になるわけです。

その点において仲間たちの声かけがあれば、挫折しにくくなることは確かだと思います。

むろん、それがなくても成果を出す人はいるのでしょうが、すべての人が精神的な強さを持っているわけではありません。

「会社」というのは、「仲間たちが見てくれている」という点では、1人で仕事をしている人よりもモチベーションを保ちやすい環境にあるのかもしれません。

コミュニティは、自由である反面、会社のようにしょっちゅう皆が顔をつき合わせているわけではありません。

指示・命令をしてくれる上司もいなければ、絶えず気にしてくれる同僚がいるわけでもない。

ある意味、放置される状態がずっと続きます。

うまくいっているときはそれで良いのですが、努力の割に結果が出ないと感じられれば、モチベーションは下がりやすくなってしまいます。

だからコミュニティは会社以上に、些細(ささい)なことでも褒め合う習慣が求められるのです。

些細なことでも、「すごいね」とか「良くやったじゃん」と人を褒める。

これは「習慣づけ」によって、簡単にそういう体質になることができます。

実際、私たちはそれをトレーニングで身につけます。

たとえば、2人1組になって、1分間、相手のことを褒める。

場合によっては、相手は初対面のことがあります。それでも外見や服装とか、持っている雰囲気とか、自己紹介を聞いたときの印象とか、あらゆる情報から〝良いところ〟を見つけ、褒めちぎるのです。

言葉だけでなく、リアクションもとにかく大きくして、感動しまくる。

バカみたいですが、やれば必ず楽しくなっていきます。

その場は非常に和(なご)やかになりますし、気分もとても良くなっていくのです。

以前、私たちの仲間がテレビの収録に観客として出向いたとき、ベテランのお笑い芸人さんから、

「あなたたちがいるととてもやりやすい！　来週も必ず来てね！」

と真剣に依頼されたことがあります（笑）。

それはそのまま、周りの人の「働きやすさ」にも通じるのです。

リーダーとして成功した人を見れば、たいてい彼らは「褒め上手」ですし、億万長者も、とにかく皆を褒めまくる人が多いです。

かの松下幸之助さんは、料亭でも旅館でも、サービスをしてくれたあらゆる人を褒めていたというし、私も桁違いで成功している方から、ちょっとしたことで褒められた経験が何度もあります。

逆に褒める文化がなく、リアクションも薄い会社というのは、とても心配です。

会社をコンパに置き換えてみましょう。誰も他の参加者を褒めず、誰もリアクションをしない。それはまさに生き地獄です（笑）。

私は、コミュニティや会社の運営もそれと同じだと思うのです。

幸せな億万長者の秘訣

19

大きめのリアクションと、人を褒めることを忘れない

決して「カリスマ」になってはいけない

世の中には、自分をカリスマだと演出して売っている人がいます。

たとえばミュージシャンであるとか、占いやスピリチュアルな仕事をしている人が、そういう魅力で売る作戦はあるでしょう。

ファンを増やし、ある種のコミュニティを作っていくことができます。

しかし、そのやり方では、コミュニティの拡張に限界が来るのが早いと私は考えます。

カリスマで売っている人は、自分と周囲とのギャップで利益を得ています。当たり前なのですが、コミュニティにもう1人のカリスマが誕生することは、元祖カリスマにとって致命的です。

そうすると、元祖カリスマは、カリスマ的な実力がある人をコミュニティから排除しようとするのですが、それは言い換えれば、レバレッジが効かないということです。

でも、幸せな億万長者になる人は、そんなことは関係ないのです。

仲間うちで、どんどん自分より魅力的な人が出てくるなら、それに越したことはない。

むしろその人に投資し、よりたくさんの価値を生む人間になってくれるよう、最大限のアシストをします。

レバレッジが効くからビジネスとしては成功するし、それ以上に仲間が育っていくことが嬉しいのです。

自分より力がある仲間がたくさん出てくることにより、当然ながら多くの利益が自分やコミュニティに返ってくることになります。

「自分をよく見せよう」と思ったら、辛い過去を思い出せ

カリスマになってはいけない、わかりにくい人になってもいけない。

コミュニティを大きくしたいのであれば、弱点も含め、魅力的な人間になるように地道に努力するしかありません。

自分をよく見せることに努力するのではなく、「良くなる」ために努力をすること。

実際、お釈迦さまの馬を引いている人は、お釈迦さまのあらがいっぱい見えたと言います。

それでもお釈迦さまには、「ついていきたい」と思わせるものがあった。

だから人が集まってきたわけです。

お釈迦さまでもそうなのだから、私程度の人間が「自分をよく見せよう」なんて考えれば、すぐにボロが出て、組織が崩壊してしまいます。

どうせわかってしまうなら、**最初から欠点も見せてしまう**。

それでいて「仲間になる」と決めた人を大切にすれば、幻滅（げんめつ）されることもありません。

人は無理をし、虚構を作るから、人間関係を失ってしまうのです。

私が決して自分を強く見せないのは、実際に何度も打ちのめされ、人に助けてもらってきたからです。

若いころなど、本当にご飯をまともに食べられない時代だってありました。

手元にお金はあったのですが、全額貯金して活動経費にしていたのです。

でも、我慢しているのは周りにバレバレだったようです。

そのたびに取引先の方々が、「嶋村君、余りもので作ったものだけど」とお弁当を作ってくれます。

さらに、どういうわけか年輩の女性にはとても可愛がられ、食事に連れていってもらっては、

「私、お腹いっぱいで食べられへんから、あんた食べて」

と、2食分を食べさせていただくこともありました。

今でもそんな方々には1ミリも頭が上がりません。

私は、皆さんの温かいアシストがあったからこそ、ここまで来ることができたのです。

辛いときには、素直に助けを求めたほうがいい。

強さだけでなく、弱さも人を惹き付けることがあるのです。

幸せな億万長者の秘訣 20

自分の弱点はどんどんさらけ出す

億万長者の心を打つ「ちょっとした言葉」とは？

億万長者の方に「どんな方を応援したいですか？」と聞くと、「仕事ができる人」とか、「お金を儲けさせてくれる人」と答える方は稀(まれ)です。

「え!?」と驚かれるかもしれませんが、彼らはあらゆる点で余裕がありますから、単に「大きなリターンが返ってくる人」というよりは、投資することで気持ち良くなれる人を選びたいのです。

ならばどんな人が、投資すると気持ち良くなれるのか？

すでに、第1章で、「子犬作戦」のことは述べました。

つまり応援してあげることで、ものすごく「良いことをしたな」という感触を得られる人。

実際、ある億万長者の方は、こんなことを言っていました。

「自分のところには、いろんな人がキーマンを紹介してくれとか、出資してくれとか言ってくるけど、そういう人をアシストしたことはまずないですね。

ただ私は、自分とのアポの帰りに電話を1本かけてきて、

『今日はありがとうございました！』と言ってくるやつはアシストするよ」。

ただ電話1本かけるだけ。ただメール・LINE1通送るだけ。

これをやるかどうかを、海千山千の億万長者は見ているのです。

私の場合ですが、ある人と数年ぶりにお会いしたとき、「この前はごちそうさまでした」と言われたことがありました。

「この前」って、一体いつだっけ……？

たぶん、以前に開催した勉強会の懇親会のあとなどで、私が皆におごる機会があったのだと思います。

でも、大勢の人がいたと思いますし、私もおごるのはいつものことだからあまり覚えていません。ただ、当人はちゃんとこんな小さなことを覚えてくれている。

しかも他の人がいるときに言われますから、なんとなく私は誇らしい気分になります。

それだけ自尊心を高められますと、当然ながら「今度もまたご馳走しよう！」という気持ちになりますよね。

幸せな億万長者の秘訣

21

どんな小さな出会いにも感動を覚え、相手に対して感謝の念を伝える

「そこまでやる」から、有力な人が後ろ盾になってくれる

先のケースのように、何気ない言葉や態度が相手の琴線に触れることが多いのです。

最強の仲間を作りたいなら、あるいは誰かに最強の仲間になってもらいたいのなら、**「相手に対して、自分は何ができるか」を必死になって考える**べきでしょう。

私には、こんな経験があります。

まだ神戸に住んでいたときですが、月に数回東京に行き、コミュニティ作りをするときがありました。なかでも立川に住んでいる年上の女性経営者さんとチームビルディング・コラボレートがしたくて、一生懸命に交渉をしていたことがあります。

あるとき立川のカフェで女性経営者さんが、「こういう資料ないの?」とおっしゃったのです。

その資料はある。

ただ、立川に持ってきていませんでした。

現代であれば、ノートパソコンの中にデータが入っていたり、ネットの情報を見てもらうことができるのでしょう。

でも、当時はそんな時代ではありませんでした。多くの仕事は、紙に印刷された資料をベースに動かされていたのです。

「わかりました。資料をお持ちします。でも、少し時間がかかるので、いったんお開きにさせてください」

そう言った私はすぐに新幹線で東京から神戸まで戻り、自宅にある資料を持って、再びまた新幹線で東京に戻ってきたのです。

その足で立川にあった先方の事務所を訪ねました。

「お待たせしました！」

と言って事務所の入口に立っている私を見て、その女性はかなりビックリしていました。ちょっと怖がっていたかもしれません（笑）。

そしてその女性経営者さんは、「いいわよ。私もやるわ」とおっしゃり、コミュニティに参画してくださったのです。

おかげで私のコミュニティは一気に拡張したのです。

幸せな億万長者の秘訣

22

「そこまでやる?」という行動を自分に課す

幸せな億万長者が実践している「原理原則」とは?

より多くの人から支持されるために、私たちのコミュニティでは、「原理原則を守ろう」という話をよくしています。

時代・流行・地域などに左右されない、原理原則。

この原理原則を守っていけば、必ず成功すると私は信じています。

私たちにとっての原理原則は以下の４点です。

①普遍であること
②不変であること
③自明の理であること
④効果性が認められること

すでに述べている、

「健全に努力する人が成功する」

とか、

「自分がしてほしいことを、まず人にしてあげる」というのは、どこでも語られる黄金律のようなものでしょう。


だからこそ、私たちはコミュニティ全体で、それを徹底しようとする。

当たり前ですが、そのほうが「原理原則に逆らっている人」よりも、ずっとうまくいく可能性が高いと私は思います。

私たちのコミュニティから、飲食店で成功する人が大勢出ていることは、すでに述べました。

①、②の普遍であり、不変であるということに関して言えば、飲食店や美容院など、私たちがターゲットにするのは、多くが古くからあるビジネスです。

・食事を望む人々に料理を出す
・自分ではやりにくい散髪をしてあげる

どちらも紀元前の世界から存在する仕事でしょう。

紀元前からあるリアル店舗のビジネスは、おそらく地球が存在する以上、淘汰(とうた)される可能性は少ないと思います。

つまり、**ビジネスをする際には、できるだけ「普遍であり、不変なもの」を取り入れる**。

それをベースに、移り変わりの激しいビジネスをやりたい人は、自己責任でやれば良いと私は考えます。

幸せな
億万長者
の秘訣
23

昔からあるモノ、コトで何ができるかを考える

なぜ、お金持ちは掃除をするのか

普遍さと不変さについては説明しました。では、③の「自明の理であること」と、④の「効果性が認められること」は、どのように考えればいいでしょうか？

そこで飲食店の話を続けましょう。

コミュニティを味方にしている以上、開店をすれば、連日満員御礼になることは予想できる。その理屈はすでに説明しています。

けれども仲間のお店は、コミュニティを超えて、コミュニティとはまったく関係

のないたくさんのお客さんを集めることに成功しているのです。その原因の1つには、おそらく私たちが実践している原理原則の1つがあるのではないかと思います。それが何かと言えば、**「徹底的に掃除をする」**というものです。

掃除が原理原則と言うと、「えっ?」と思う人が多いでしょう。けれども幸せな億万長者や、成功した経営者さんには、「掃除をすること」の重要性を説く人が多いのです。

有名なのは、イエローハット創業者の鍵山秀三郎氏ではないでしょうか。中でも重視されるのは、トイレ掃除です。

実際、繁盛しているお店や会社は、トイレが綺麗なことが多いように感じます。

お店ならもう一度行きたくなりますし、オフィスであれば非常に仕事が信用できそうに思えます。

あるとき私は、心から尊敬をする株式会社アースホールディングス代表取締役國分利治(こくぶんとしはる)氏がトイレ掃除を素手でやっていらっしゃることを知りました。

素手で？？？

私は多少たじろいだのですが、天下の國分利治氏がやっていらっしゃるのだから間違いない！

私もトイレ掃除を素手で、本気でやるようにしたのです。

ツールは使わず、素手で便器に手を突っ込んで、きれいにする。汚く思うかもしれませんが、やってみるととても気持ちがよいのです。

達成感も得られるし、心が洗われるような気持ちになります。

当たり前なのですが、お店のトイレに入ったとき、そこがムチャクチャ汚かったら、「二度と来るか」と思いますよね。

それが自明（じめい）の理（り）なのです。

④の効果性なのですが、これについては世界一の研修会社であるＡＳＫアカデミー・ジャパン株式会社様の研修を受講して学ばれることを強く強くおススメします。

宣伝したいわけではなく、社会教育のすべての分野において、クリエイティブでオリジナリティに富んだ教育研修に感動して涙を流す起業家・経営者は多いです。

あっ！　國分利治氏の真似をしたら、だいぶ収入が上がりました。本当にありがとうございます。

幸せな億万長者の秘訣

24 トイレ掃除を率先して行なう

「楽して儲かる手段」なんて、世の中のどこにもない

さて、その國分利治氏なのですが、**150円以上のおにぎりは買わないようにされている**そうです。ところが一方で、國分氏は、最高級スポーツカーであるフエラーリを所有されています。


どうしてフェラーリを所有されているのかと言えば、

「美容師の仕事を頑張ったら、こういう車にも乗れる」

ということを、仲間に見せるためなのだそうです。

アースホールディングスは全国に美容院を展開しているのですが、皆の成功への意欲を高めるために、最高級の車を所有されている。ちなみに、國分氏のご自宅は10億円です（笑）。

効果に見合うお金であれば数億円でも出すが、無駄なことには1円も出さない。さすが國分利治氏。徹底されています。


ある経営者が自社ビルを建てたとき、尊敬する大物経営者をビルに招待したそうです。

そのとき大物経営者はビルに樹木が植えられているのを見て、

「こんなん植えているうちは、あんた、まだまだやな」

と諭（さと）したそうです。

なぜなら樹木を植えると、無駄にお金がかかるから。それくらい、億万長者は無駄なお金に対してシビアなのです。

一方で、世の中には「楽して儲かる話」がたくさんあり、いかにも「億万長者」という人が、「自分の言う通りにすれば簡単に儲かるよ」と、もっともらしいことを語っています。

あなたがずっと貧乏なのは方法を知らなかっただけで、やり方さえわかれば簡単にお金持ちになれるんだと。

そんなうまい話が本当にあるのでしょうか?

億万長者にこういう質問をすると、たいていは失笑し、そして悲しい顔をしてこうおっしゃいます。

「昔も今も、そうやって騙される人がたくさんいるよね」

私も「すぐ儲かる」とか、「楽して儲かる」とか、「一瞬で人生が変わる」なんて話を信じませんし、知りません。

地道に努力をする。私はこれに尽きると思います。

ちなみに、國分利治氏のお考えを知りたければ、『地道力［新版］』（PHP研究所）という本を読まれたらいいと思います。

名著です！

幸せな億万長者の秘訣

25

値段の価値に見合っていないモノにはお金を出さない

第4章

仲間を信頼すれば、ビジネスは拡大する！

――次々にアイデアを形にする「すごい実行力」

アップルを超える？ シャオミという会社の秘密

前章までで述べてきたのは、億万長者たちの思考をベースにして、社外でコミュニティを作りながら、自分のビジネスを立ち上げていく方法でした。

本章ではさらにコミュニティを強化しながら、自分のビジネスを拡大するやり方を、億万長者たちの思考を参照しながら考えてみましょう。その先には、億万長者になる究極的な方法も眠っているはずです。

そこでまずは、実際の大きな成功例を考えてみましょう。取り上げるのは「中国のアップル」と呼ばれ、世界最速で1兆円の企業価値を上げた「シャオミ」という会社です。

日本では知る人ぞ知る企業ですが、世界的にはスマホのシェアであらゆる日本企業を抜き、アップルやサムソン、ファーウェイなどと覇権(はけん)を争っています。

そのシャオミは、そもそも投資家でもあった雷軍(レイジュン)が、2010年に創業した企業です。

シャオミはオシャレで低価格なスマホを販売しているメーカーとして知られていますが、**実は最初に彼が作ったのはＳＮＳによるコミュニティだ**と言われています。

雷軍が創業に当たって行なったのは、１００万人のユーザーを集めるということ。スマホの使い方はもちろん、ネットの活用法や、ＳＮＳの使用法に関する巨大なフォーラムを中国国内に立ち上げ、創業者たちは皆、コミュニティの意見を聞くリーダーとなっていきます。

そして、この意見を反映して、スマホとアプリを開発する「シャオミ」を創業したのです。

ですから、シャオミのコミュニティメンバーは、

「自分たちが会社に提案して商品開発をしているんだ」

という意識が強く、ある種マニアックなコミュニティということで、「ビーフン」と呼ばれています。

これはシャオミの中国名、「北京小米科技」の「小米」を「米粉」にもじったも

のだそうです。

コミュニティの意見を誰かが実現し、そのアイデアを、皆がユーザーになることで支える。

結果、億万長者どころか、兆単位のお金を稼ぐビジネスが世界に生まれたわけです。

町の小さなパン屋が潰れないワケ

コミュニティの中から成功者になっていく人は、やはりこのシャオミという会社と同じように、コミュニティを作って地盤固めを行なったうえで、皆の意見を聞きながらビジネスを広げていきます。

私の仲間に、Ａくんという男性がいます。

私と出会ったのは27歳のとき。そのとき彼は理系の大学院で学んでいる学生だったと思います。やがてＩＴ系の企業に入社し、システムエンジニアの仕事をしながら、起業を考えるようになりました。

Ａくんは、理系の仕事を選んだのですが、そもそも興味を持っていたのは食の世界だったのです。休日になれば食べ歩きをし、自分でも料理を作るのが大好きでした。

でも、理系の勉強だけをしてきた自分が、飲食店を開業したってうまくいくわけがないと思っていた。それが私たちのコミュニティに入ってから、飲食店を開業することは１００％可能だと確信したのです。

それからのＡくんは、本書で述べたことを徹底しました。

まず人とのつながりを大事にし、人間関係を広げていきます。

そして食の情報を発信し、食事会のようなイベントを開催したり、開業へ向けた勉強会を開催したりして、地道に自分のコミュニティを作っていきました。

彼のコミュニティには、自分と同じように「飲食店をやりたい」と思っている人が多い。

「それなら」ということで、仲間と2人で「飲食店型のレンタルスペース」を開業することから独立したビジネスを開始します。

食のコミュニティを運営していますから、このスペースを利用したい人はすぐに集まります。

昼間はパスタ屋さんで、夜は貸し切り用のレンタルスペース。5年間で同じような施設をもう1つ。さらに東京の港区でイタリアンレストラン経営も始めました。


そうした店舗を運営しながら、満を持して8年目で、自分でも料理を作るラーメン店にチャレンジしました。つまりAくんは、別々の4店舗を運営しながら、自分でも料理を作る料理人という、珍しいタイプの実業家になったのです。

その経験を活かし、他の店にアドバイスするコンサルタントの仕事も引き受け、情報発信によってコミュニティを拡張させています。


不思議に感じる方もいるでしょうが、Aくんのように、実業家としてさまざまな仕事を運営しながら、自分の好きな仕事をしている人は大勢います。

たとえば他の仲間には、メインでは不動産会社を運営し、さらに飲食店をやり、また趣味的にファッションの小売店を運営している人もいます。

大きなコミュニティがあるから立ち上げには困らないし、新規のお客さんを新たなコミュニティメンバーにするのもお手のものなので、経営がうまくいく。

節操なくいろんなことをしているようで、実はちゃんとお金が回る仕組みを作っているわけです。


実は、こうした〝億万長者〟というのは日本に古くからいます。

たとえば、商店街に古くからある小さなパン屋があって、おばあちゃんが１人で店を切り盛りしている。

「大丈夫かな？」

なんて初見客は思います。

ところが、そのおばあちゃんは、そのエリアにある多くの学校の給食にパンを提供している。

そのすべての学校から収入が入ってくるばかりでなく、パン屋もちゃんと固定客で黒字になっているから、放っておけばお金持ちになっているわけです。

幸せな
億万長者
の秘訣
26

人に意見を聞きながら、やり方をアップデートしていく

「新しい出会い」を求めて、動く

まずはコミュニティを作る。
コミュニティが求めることを、次々ビジネスにしていく。
そうすれば失敗することなく、お金が回っていく仕組みが作れるのです。
あとはコミュニティの質と規模が、成功の度合いを決めていきます。

コミュニティをさらに拡張するためにはアイデアが必要で、そのアイデアには、新しい人や情報が必要です。

そのため、幸せな億万長者は新しい人との出会いと情報を求め、積極的に動きます。結果、幸せな億万長者が手にする新しい人との出会いも、情報の量も、一般的な会社員とは比べものにならないと思います。

では、「新しい出会い」はどのようにして見つければいいのでしょうか。

私の場合は、昔、トランプにハマっていましたので、街中にあるカフェにいろんな人に来てもらい、ゲームを楽しむコミュニティを作りました。

はじめましての方とトランプをやると、性格が丸わかりで面白いのです。勝つようにトランプをやる人と、負けないようにトランプをやる人。人生の縮図ですね。

そんな私は、より大人数で、より大騒ぎしてトランプをやるために、東京と大阪に物件を買い、そこにトランプ用のカフェを作りました。

しかし、そのカフェの経営を任せた仲間から、

「カフェでトランプをやるな！」

と、追い出されてしまうという裏切りに遭います（笑）。

トランプカフェをやるために、２億円くらいかけたのですが……。今でも恨んでいます（笑）。

さて現在の私は、サーフィンのサークルと、バスケットボールのサークルを作って運営しています。

なぜ、この2つのスポーツなのか……と言えば、「私自身がやりたいから」という以外の理由はほぼないのですが、**参加している人はほとんど経営者や投資家の人ばかり。**

必然的に、

「こんなことやりたいんだけど、どう思う？」

なんていう話が遊びながら出てきますので、新しいプロジェクトが動き出すケースも非常に多くなってているわけです。


先に紹介した不動産会社をやっている仲間は、「人が集まれる場」ということで、大阪の一等地に「シーシャバー」を作っています。

これは中東で好んで吸われる「水たばこ」が味わえるお店なのですが、こうした面白いお店ならば、新しいアイデアも生まれてきやすいと思いませんか？

幸せな
億万長者
の秘訣
27

人との出会いからアイデアを生み出す

「質の高い雑談」が次のビジネスのヒントになる

コミュニティにとって、情報は血液だと思っています。

なぜなら情報がなければ意思決定や改善のしようがないし、「今、コミュニティがどれだけうまくいっているのか」という情報が入ってこなければ、モチベーションも上がらないからです。

しかも報告が下から上へ強制的に上がってくる会社組織と違って、コミュニティならばメンバーが流動的ですし、報告書を提出する義務もありません。

そんな中で、よい情報を集めようと思ったら、こちらから質問を皆に投げかけていくしかありません。そのために、私は皆に、

「誰か面白い人や情報のことを教えてね」

といった依頼をしています。

そうすれば、誰かが、

「最近、うちの集まりに参加した人が、こんな変わった仕事をしました」

みたいなことを、ＬＩＮＥで送ってくれたりします。

でも、こちらが想像できないことは、質問によって引き出すことが難しい場合があります。

だから、いろんな人が集まる「雑談の場」を多く作っていくことで、自分の想像を超えたアイデアや情報を集めることができるかもしれないと私は考えています。

できれば、堅苦しい会議の場やオンラインＭＴＧなどではなく、楽しくて、リラックスできる「リアルな集まり」のほうが、魅力的なアイデアが出やすくてよいかもしれないですね（詳しくは次項で話します）。

そうやって質の高い雑談を重ねることが、コミュニティを飛躍させるための絶対

条件なのかもしれません。

幸せな億万長者の秘訣 28

スポーツや趣味の場を、会議代わりにする

「退屈な勉強会」にこそビジネスチャンスが落ちている

多くの幸せな億万長者が、17時から勉強会やセミナーに参加をしています。

不思議なもので、彼らはときに講師よりずっと金銭レベルで成功しているにもかかわらず、たとえば投資であったり、あるいはビジネススキルを学ぶ場にやってきます。

「地下鉄に乗ってオフィスに出勤する人が、ロールスロイスに乗ってオフィスに来

る客に投資を教える」

こういうことが、世界中であるわけです。

でも、幸せな億万長者からすれば、勉強会に行くのは、単に「学ぶ」という目的だけではないのです。

集まっている人々と会話をし、今のビジネス現場で動いている「生の情報」をたくさんキャッチしたいのです。

ただ、多くの勉強会がオンラインでも受けられる現在ですが、彼らがＺｏｏｍなどで行なわれる会に積極的に参加することは、減っているように感じます。

なぜならオンラインになると、情報交換の機会が非常に制限されてしまうからです。

それは私もコミュニティ内の連絡上、オンライン会議を多く経験していますから、よくわかります。

たとえばリアルで集まった人々が、「ロ」の字になって、どこかで会議をしていたとしましょう。

そんな中で、私と誰かが何らかのやりとりをしている。あなたはその話にあまり興味がなく、ヒマだなと思って、たまたま隣にいたAさんに小さな声で話しかけるのです。

「ちょっと今、いい？　久しぶりだね。最近、何やっているの？」

Aさんも、あまり私と誰かのやりとりに興味がないから、こっそり、あなたの質問に応じます。

「実は今、こういうことを始めていてね。興味ある人を集めているんだ」

「へえ、面白そうだね。詳しく話を聞きたいな……」

「いいよ、この後、時間ある？」

会社での役員会議のようにガチガチの場では、こんな雑談は起きないかもしれま

せん。でも、**上下関係のない集まりでは、こんな会話がしょっちゅう至る所で行なわれているのです。**

当然ながら、幸せな億万長者の人々は、そんなチャンスを見逃しません。これと同じことをオンライン上でやろうとすると、Zoomで会議をしながら、こっちでLINE上の会議をする……といった面倒な話になります。できないことはないのですが、やる人はほとんどいませんよね。

だから「オンラインの集まり」と「リアルな集まり」は、まったく別物なのです。

幸せな億万長者が、家でパーティをしたがるのはなぜか？

逆に億万長者であれば、より「リアルな場」を多くすることに力を注ぐはずです。それは第2章でも述べた「基地」を作るということ。本書には飲食店を作る人を多く紹介していますが、そういう人が多いのも、結局は「場」を多く作りたいからなのです。

新しいビジネスを立ち上げるたびに、必ず「場」も１つ作る。

それは昔ながらのバーやカフェだったり、個性盛りだくさんの飲食店だったり、レンタルスペースだったり、あるいはシーシャバーだったりとさまざまですが、たくさんの場ができれば情報も多く集まるのです。

一番、基地として手頃かつ、身近なのは、なんといっても「自宅」でしょう。億万長者の方の自宅は、最初からそこに人を集められるような設計をしていることが多いと思います。

どうしてかと言えば、そこに人を集めてホームパーティを開催するからです。

それは富を見せびらかすためではなく、やはり情報を集めるために行なわれます。でも、これは億万長者のみの特権ではありません。家賃の安いアパートでも良い。ある程度の広さがあり、部屋をきれいにし、食事などを用意すれば、そこに人を集めることができます。

逆に都会の一等地で、いくらお洒落な場所であっても、人を呼べる場でないと基地にはなりません。

そのスペースをどう使えば、そこに人が来て、情報が集まるのか？

それが幸せな億万長者の発想なのです。

幸せな億万長者の秘訣

29

いつも人が集まれる家に住む

夢ではなく、「実現力」を人前で示す

もちろん人が大勢集まり、アイデアをたくさん出し合ったところで、プロジェクトが必ず動き出すわけではありません。

プロジェクトが動き出すには、具体的な目標と計画が必要になります。そうでなければ誰も労力や時間をそこに注ごうとしませんし、お金を投資するのであればなおさらでしょう。

たとえば私は、宇宙ビジネスにも投資しています。
その理由は「モテますよ」とそそのかされたことがきっかけなのですが、実際に多額のお金がかかってくるとなると、それだけで事を進めていくわけにはいきません。

宇宙を舞台にして、どういうふうに会社に売上と利益をもたらすのか？
宇宙プロジェクトを通じて、どのように世の中のお役に立つのか？

- **法務**
- **ビジネスモデル**
- **ファイナンス**

これら3点をクリアしないと、誰も投資することができないわけです。

アイデアを持ちかける人間は、これらがクリアされていることを、必死の覚悟でもって周りの人間に説明しなければなりません。


また、**強いチームを作るには、目標設定が必要です**。

ただ、目標があればいい、というわけではありません。

商売の世界は、結果がすべてですし、現実的にうまくいくかどうかを厳しく見られます。億万長者のようにレベルが高い人ほど、夢にばかり投資するわけではないのです。

たとえば会社員だったら、

「何かをやります」

とプロジェクトを立ち上げ、これが仮に未達だったとしても、

「こらっ！」

と、怒られて済む話かもしれません。

しかし**投資家や商売人の場合、未達はマーケットでの死を意味することだっ**

であるのです。特に日本はその傾向が強いように感じます。そんなリスクを考慮した投資家、商売人、億万長者の計画は非常に緻密（ちみつ）で、考え抜かれていることが多いです。

東京駅から新宿駅へ行くときに、紙でできた世界地図を渡されても、まったく意味を成しません。それってほとんど嫌がらせですよね（笑）。

しかし、仕事ができない人の計画はいつもそんなレベルです。

プロジェクトを立ち上げるためには、実現可能な目標と、考え抜かれた計画が必要です。単に夢を語るだけでなく、何よりも結果・成果にこだわる人が、そのプロジェクトを巨大にするのです。

幸せな億万長者の秘訣

30

夢を語るだけでなく、現実的なプランを持っている

誰にアイデアを話せば、実現への道が開けるか？

商売をするうえで、結果・成果に対してシビアにこだわるのは当然だと思います。

ただ、私のコミュニティのように、皆が非常に仲の良い関係になってくると、誰かが「アイデアをプロジェクトにしたい」と言えば、「難しくてもやらせてあげたい」という気持ちが出てきます。

ひょっとしたらうまくいくかもしれないし、失敗しても経験になるかもしれない。

そこで大事なのは、「人」だと思います。


「人」を「アイデア」に巻き込んでいくこと。


たとえば、アイデアは面白いけど、「果たして、この人にできるかな」という問題がある。

ならば立案者に実務能力が高い人を紹介して、「興味がないか話してみては？」と提案する。

それによって、実行可能性は一気に上がります。

ビジネスは1人でやるものではありませんし、最初に思い描いた通りにプロジェクトが進んでいくことなど滅多にないのです。

そんな困難な状況を打開するには、目標達成能力を高める必要があります。

目標を達成するためにプランAを考えた。平均的な人はここで終わります。

しかし、目標達成能力が高い人は、追加でプランBを走らせ、念のためプランCを走らせ、さらにプランDも走らせます。

プランに保険をかけるのです。

朝令暮改（ちょうれいぼかい）など当たり前。目標達成能力の高い人は、1日に100回くらい言うことを変えることもあります。

そして**必ず目標を達成するのです**。

それはもはや、執念と言ってもいいくらいです。

それに対して平均的な人は、プランに保険をかけず、プランを変えず、目標をころころ変える。これでは億万長者になりようがありません。

だから、「目標達成能力が高い人が誰なのか」を把握しておくと、コミュニティ全体での達成率も上がっていきます。

人をつなげることは、1つのプランを実現するだけでなく、1つのプランをより面白いものに進化させる効果もあります。

たとえば旅行プロジェクトがあるときに、目的地で映画祭を仕切っているような仲間を巻き込めば、さらに面白くなるかもしれません。

さらに旅行代理店を経営している現地の仲間に声を掛ければ、それをツアー化したり、ガイドブックには絶対に載らないような場所に行くことだって可能になるかもしれません。

仲間たちのコミュニティを広げれば広げるほど、アイデアの数は増え、質は上がり、実現しやすくなります。

幸せな億万長者の秘訣 31

人をアイデアに巻き込んでいく

仲間作りについて華僑の人々から学んだこと

私は華僑の方々と仕事をした際、コミュニティの作り方を学ばせていただきました。

華僑というのは、日本を含め、海外に出ている中国系の方々です。

血のつながりや、出身地のつながりを重視し、新規に出会った日本人など、そのコミュニティに入れてもらえる可能性は少ないと多くの人は思っているでしょう。

けれども案外、信頼関係さえ得られれば、彼らのコミュニティに入れてもらうことができるのです。そして、ひとたび〝仲間〟と認められれば、彼らは絶対に裏切らないように感じます。

誓約状やら血判状はありませんが、困ったことがあれば、仲間が総じて守ってくれるのが華僑の世界のルールになっているようです。

そんな華僑のような「仲間を大切にする意識」は大切で、**「嶋村さんは裏切らない」と皆が思ってくれているから、思いついたアイデアを気軽に話してくれるのです。**

「困ったときは嶋村さんが助けてくれる」と信じてくれるから、躊躇(ちゅうちょ)なく思い切ったビジネスに踏み出してくれます。

もし私が他人のアイデアを平気で盗むような人間だったら、誰も私に相談することなんてありません。

それに私が、仲間が困ったときに平気で見捨てるような人間だったら、上を目指す人は皆、もっと頼れるリーダーを探し始めているでしょう。

とはいえ、皆を助けていくことは、言うほど簡単なことではありません。1万人の中で「不遇を受けた」という関係者が数人いるだけで、一気にコミュニティ全体が信頼を失ってしまうことがあるわけです。

それでも粘(ねば)り強く地道に勝者を数多く生み出す環境整備に務めることが、コミュニティ全体の強さにつながっていきます。

この点は、華僑の人々が長い年月をかけて築いてきたことと、同じなのではないでしょうか？

幸せな億万長者の秘訣

32

「仲間」は絶対に裏切らない

書類による契約ではなく、信頼関係でつながる。

だからこそ目に見える気遣いや援助で、信頼関係を強化していくしかないのが「他人同士で協力し合うコミュニティ」の特徴なのです。

コミュニティから起業した仲間とコラボレートする

空手の起源というのを、あなたは聞いたことがあるでしょうか？

今では当たり前のように、日本古来の武道になっている空手。けれどもその起源は、沖縄で行なわれていた「琉球空手（りゅうきゅう）」なるものにあるそうです。

一説では、もともと中国から伝わった拳法が、沖縄で空手に発展したとか。沖縄がやがて日本に組み込まれると、この琉球空手も皆の知るところとなり、全国から学ぶ人が出てきます。

やがてそれが本州へ伝わり、極真（きょくしん）が現れたり、誠道館（せいどうかん）が現れたり……。

発端は1つ、皆、共通のベースを持っているけれど、今はそれぞれのつながりは少ない。

やっている人の目的は、健康のためだったり、強くなるためだったり、マナーや躾（しつけ）のためだったりとさまざまですが、すべて「空手」という形を継承し、この国に「空手」の文化を根づかせてきたわけです。

コミュニティで成功するということは、この空手の伝承者に似たようなものではないかと私は思っています。

実際、私がチームビルディングで成功できたのも、私のコミュニティに参加した人が、自分のコミュニティを作り、さらにたくさんの人の輪を広げてくれているからです。

私たちは型式を強制しないし、参加の形も自由だし、やるかやらないかも個人任せなのですが、共通の言語と価値観を持っています。

私たちのコミュニティの根底にある**性善説が浸透しているから、コミュニティのメンバーであれば、即座に協力関係が作れます。**

だから時代の波に負けたことがないし、今後も負けることがないと私は信じています。

「仲間と楽しくやりたい」という本質的な感情に立ち戻る

これがフランチャイズのようなものだと、そうはいかないかもしれません。

私見ですが、フランチャイザー（本部）とフランチャイジー（加盟者）の契約内容を見ると、かなり本部が有利になっているように感じます。

それでいて本部が傾いたり、他のフランチャイジーの誰かが不祥事を起こせば、すべての被害を同時に受けてしまうわけです。

信頼できない仲間と疑心暗鬼の中で働かなければならないのは、非常にしんどいことだと思います。

幸せな億万長者が築こうとしているコミュニティはそういうものではありません。

かの有名ユダヤ系一家などは、ある子供をロンドン、ある子供をパリ、あるいはウィーンにと送って、それぞれに人脈を築かせたのです。それはヨーロッパ各国が戦争をしていた時代です。どこかの仲間が戦災による被害を受ければ、繁栄している国の仲間がそれを助けてあげたり、戦争の勝敗をいち早く他の兄弟と共有することで莫大な利益を作ったとも言われています。

彼らは、家族というコミュニティで戦ったのです。

三菱商事や伊藤忠など日本の総合商社は世界中にコミュニティを作っていて、その力はときには日本政府を超えるそうです。

三菱財閥を創設した岩崎弥太郎氏は、仲間と共に日本というコミュニティを強くして、アメリカ・イギリス・ロシアなどの列強と伍（ご）していくことを楽しく夢見ていたのではないでしょうか？

岩崎弥太郎氏のように日本全体を変えていくような大きなことでなくても、「仲間と楽しくやりたい」という、私たちの誰もが子供のころに持っていた気持ちを持ち続ければ、コミュニティ作りはうまくいくと思うのです。

世の幸せな億万長者たちは、結局のところそんな子供のころの思いを、大人になってもずっと持ち続けているだけなのかもしれません。

幸せな
億万長者
の秘訣

33

友人と遊んでいたときの「楽しさ」を忘れない

第5章

「投資家の発想」を持つ人だけが稼げる時代へ

――一生損しないために知っておきたい「お金の話」

普段着はジャージ、移動は自転車

最後の本章では、「幸せな億万長者」とは一体どういう人間なのか。あらためて考えていきましょう。

億万長者というと、

「豪華な家を持っている」とか、

「高級車に乗っている」とか、

「有名なブランドの服や時計を身につけている」

などをイメージする方が多いのではないでしょうか？


確かに中にはそういう人もいますが、**たいていの億万長者は、とにかく目立たないことを意識しています**。

以前、大阪で物件の内覧をしたとき、地元の不動産王と言われる億万長者の方にお会いしたのですが、普通にママチャリのような自転車でやって来られました。

よれよれのジャージにツッカケのお姿でママチャリに乗って現場に来られた大地主の方を見て、私と同行していた友人は「管理人のお爺ちゃん」だと思ったようです（笑）。


私もそんな格好で街をウロウロしていますが、世にはそんな【普通】にしか見えない億万長者が多いのです。

一定のレベルを超えた億万長者が、【億万長者】だと一目でわかる服装をして、最高級車に乗ることなどは、セキュリティの点で非常に危険なことです。ましてやＳＮＳなどで自分のプライベートのことを発信するというのは、ある意味、死活問題になるかもしれないのです。

なのに、ＳＮＳ上には【億万長者】という人が多数存在していて、豪華絢爛（ごうかけんらん）な生活を発信しています。

国内最大級の美容院グループである株式会社アースホールディングスを率いる國分利治氏が、10億円のご自宅に住み、フェラーリに乗られていることは前述しました。それはあくまで株式会社アースホールディングスというコミュニティを拡張させるためです。

では、SNS上の【億万長者】という人たちは、何を目的に豪華絢爛な生活を発信しているのでしょうか？

良い悪い、正しい間違っているという話では一切なく、一度これについて深く考えてみると、面白い発見があるかもしれませんね。

参考までに、私の友人の億万長者は、世界中にルイ・ヴィトンを展開しているL

お金持ち？それとも…

ＶＭＨの株式を大量に保有して、その配当だけで豊かな生活をしています。億万長者はルイ・ヴィトンの商品ではなく、ルイ・ヴィトンそのものを買うのです。

仲間の成功より、自分の服や時計が気になりだしたら「終わり」

これは私見なのですが、**落ちていく億万長者には特徴がある**と思うのです。

・仲間と一緒に誰よりも現場で汗をかいていたが、ゴルフなどにハマりだした
・地味で上質な服装や髪型をしていたが、派手な時計やジュエリーを身に着けるギラギラ系になった
・目立たない車に乗っていたが、派手な車に乗るようになった
・早寝早起きをして規則正しい生活をしていたが、夜のお店に通いだした
・ゴシップなどにまったく興味がなく、守秘義務を徹底していたが、ゴシップが大

好きでいろんなことを吹聴するようになった

コミュニティの成功より、ゴルフのスコアが気になりだしたら、もう億万長者は終わりです。

仲間の成功より、自分の服や時計が気になったら、もう億万長者は破滅です。

優秀で自分を律している幸せな億万長者たちは、そういう人を見て、

「この人もここまでだな」

と見切り、離れていきます。

やはり自らの力で億万長者になった人は、付き合う相手もシビアに選ぶのです。

幸せな億万長者の秘訣

34

見かけや趣味にばかりお金をかけない

100歳まで遊んで暮らすための投資を惜しまない

ならば幸せな億万長者たちが、惜しみなくお金をかけるものとは、どんなものなのでしょう。

まず何より「健康」があります。

普通の人は、どれくらい健康に対して、お金を使っているでしょうか？

私もその昔は、自分の健康に対して、かなり無頓着(むとんちゃく)でした。まあ、主食がカップラーメン・袋ラーメンでしたから、酷(ひど)いもんです（笑）。

それでも多くの幸せな億万長者レベルの方とお付き合いするようになり、年々真面目に体をケアしていくことが必要になると、皆の習慣を取り入れて健康にお金をかけるようになっていきます。

すると一体、どれほどの投資が必要になるのか？

まず、私は健康のために点滴を打っています。「高濃度ビタミンC」や「グルタチオン」などです。

こういった点滴を打つと1回8万円くらいなのですが、私はこれを月に2回やっています。

さらに毎日60分は、体のメンテナンスをしてもらいます。

6000円×30日で、だいたい20万円くらい。

それに特注の漢方やサプリメントの費用が20万円くらいです。

健康に対する投資は、私の場合、月におよそ50万円~60万円です。

ビックリするかもしれませんが、私などは可愛いもので、もっと健康に投資をしている人は山ほどいます。

仕事をするにも、思いっきり遊ぶにも、健康な体があってこそ。

できたら100歳まで働いて遊べる健康体でありたい。

だから、幸せな億万長者の人々は健康にお金を惜しみません。

「質の高い情報」をもとに意思決定する

　また、業種・職業問わず、真剣にチャレンジしている方のほとんどが、学ぶのが大好きなのだと思います。

私の周辺の成功者全員が、貪欲に学んでいます。ここ数年、本の内容をわかりやすくまとめた動画が人気なのは、多くの人がワークアウトなどをしながら学ぶことができる動画に価値を感じているからだと思います。

　私はジャンルを問わず、自分への投資としていろんな情報をインプットしますが、特に価値を感じているのが、

・歴史の本・動画
・質の高い研修
・日経新聞社・テレビ東京が発信している情報

です。

16歳で社会に出た私に、諸先輩方が、

「成功したかったらひとまず日経新聞を読め！」

と、口々におっしゃることに驚いたのが昨日のことのようです。

「ニッケイシンブン？　ソレハナンデスカ？」というところからスタートしたのですが、今は少なくとも読んでる風(ふう)を装うことはできるようになりました（笑）。

そんな私は日経新聞社があまりにも好きすぎて、いつのまにやらテレビ東京の大株主になりました。

※日経新聞社は、日本国内で5局しかないキー局の1つであるテレビ東京の大株主です。

やみくもに情報をインプットするのではなく、
読書・動画を通じて、自分が何のために頑張るのか？
目的・目標・戦略・戦術などすべてを明確にする。それが大事です。
こういった自分への投資は、とっても費用対効果が高いと私は思います。

幸せな億万長者の秘訣

35

自分にとって、本当に必要な投資が何なのかを知っている

「投資家の発想」を持つことができるか

さらに「場」への投資があります。

コミュニティを広げるに当たって、人が集まる「場」が重要なのは、本書でも述べてきました。ここでは、私自身のエピソードを通して、自分への投資という意味合いで「場」を選ぶ際のポイントをお話しします。

私はサーフィンが大好きです。単純に乗っていて面白いし、サーフィンは経営と

似ているので、大好きなのです。

波は自分の都合に合わせてくれず、自分が波に合わせるしかない。

マーケットの波と同じですね。

サーフィンがとても好きだけど下手な私にとっては、修行でしかない波もある。

波に巻かれ、流され、叩きつけられ、揉みくちゃにされているときに、私は謙虚さを学ぶのです（笑）。

仕事でハワイに行った際、軽いノリでやってみたサーフィンですが、それがあまりにも面白く、もう10年以上やっています。

今ではほぼ毎週宮崎に行き、サーフィンをやりながら仲間や取り引き先の方とミーティングをする。

日本が寒い時期はハワイでサーフィンをします。ハワイでのサーフィン自体が面白いし、サーフィンのインストラクターであるYさんがとってもステキだったのです。Yさんによる初レッスンから数ヶ月後に、再度ハワイ入りしました。ところがそのサーフィンスクールに電話をすると、私が大好きなYさんは、すでにそのスクールをお辞めになっていました。

仕方なく、他のスクールに行ったのですが、ハッキリ言ってつまらなかったのです。当時の私は、サーフィンが好きというより、Yさんに教えてもらうサーフィンが好きだったのですね。

その日から数日かけて、私はYさんを探し出しました。我ながら凄い執念です(笑)。

即、アポをとり、Yさんにレッスンをしていただきました。

その後私は、Yさんのレッスンを受けるためにハワイ入りするようになりました。

しばらくYさんにお世話になってから私は聞きました。

「私はYさんの一番弟子ってことでいいですか?」

するとYさんは、

「いいですよー」

と答えてくれました。

そこからYさんと私の師弟関係がスタートしました。

何事も学ぶ人を決め、体系立てて教えてもらう。私はそれを大事にしています。

レッスン中は、Y師匠に怒られてばかりですが、それでも楽しい。弟子入りした以上、弟子はうまくならなくてはいけない。

いつまでたってもうまくならないと、師匠の顔を潰すことになるからです。Y師匠はまったく気にしていませんが。

私はハワイにいる間、毎日8時間、海に入りました。

Y師匠からは、

「異常だ！」

などと言われましたが、やはりこういうことは身体で覚えるのが一番だと思うのです。

1時間より2時間。
2時間より4時間。
4時間より8時間。

何かをうまくなりたければ、1秒でも長く、1回でも多く体験することが大事だと私は思います。最低限の理屈やルールを知ったら、身体で覚えるのです。

職住接近とサーフィン住接近

少しでも長くYさんのレッスンを受けるため、私はホテルを変えました。レッスンポイントまで車での移動が必要なホテルから、歩いて数分で移動できるホテルに変更です。

世の成功者は、

「職住接近しなさい」

と、おっしゃることが多いですが、私の場合、

「サーフィン住接近」

なのです。

誰かに言われたからやったのではありません。

少しでも早くサーフィンをうまくなりたい私は、自分でそれを選びました。

結果、「サーフィン住接近」して非常によかったです。

移動時間は短縮。

渋滞に巻き込まれてレッスンに遅れないか？　と気になることから解放。

海から上がったあとすぐに部屋に戻り身体を温めることができるし、すぐに整った環境で仕事ができる。


私は海が丸見えの部屋を選びました。

朝起きると、部屋のテラスから海を見て、波をチェックできるからです。

ホテル内で美味しいコーヒーを買い、それを飲みながらレッスンポイントまで歩く。

動線に無駄がない。最高です。

このホテルのこの部屋にすることで、宿泊料はアップしましたが、それ以上に得られるものがありました。自分へのよい投資だと思っています。


サーフィンの話ではありませんが、他でも動線の無駄をなくしています。

私の大阪の家・東京の家はともに、家のほぼ真下にセブン-イレブンとフィットネスクラブがあります。

セブン-イレブンとフィットネスクラブをこよなく愛し、頻繁に利用する私は、それが近いということが、新居を選ぶ際の重要なポイントなのです。

国内出張のとき、ホテルのチェックインとチェックアウトの時間に仕事を合わせるのが苦手で、家を借りるようにしています。

すると、関西と関東に少なくとも1軒ずつは家があったほうが良いし、趣味のサーフィンで頻繁に海へ出ていくなら、その近くにも家があったほうが効率も良い。

さらに親のための家……と考えれば、結果的に家を4箇所持つことになりました。

このように、私はいろんな点で、動線の無駄をなくしています。

無駄をなくし、仕事をする。
無駄をなくし、一見無駄に見える仲間とのアナログなコミュニケーションの時間を作る。

それが非常に機能しているように感じます。

動線の無駄をなくしつつ、一定の快適さを求めた結果、それなりの家賃を支払うことになりましたが、これも自分へのよい投資だと思っています。

効果のあるサーフィンのレッスンを受けるためにハワイに通ったり、動線の無駄をなくすためにホテルを変えたり、住まいを変えたりすることも自分への投資です。

幸せな億万長者の秘訣
36

「どうすれば無駄をなくせるか」という観点で住む場所を変える

「株式投資＝応援する」という発想

家を借りる際のポイントは、自分にとって快適に仕事ができること、そして仲間が集まれて、ゆったりと過ごせることです。その家が仲間に夢を与えるようなものだと、さらに良いですね。

仲間とコミュニケーションをとるために、家にお金を使う。これは多くの幸せな億万長者が、非常に重んじていることです。

また、億万長者はたいていクルーザーやヨットなどを所有しているものです。

でも、これは決して贅沢を自慢したいわけではなく、船の上でパーティを開催し、仲間たちを呼んで時間を過ごすことが大事だという考えが根底にあるようです。

つまりは「人が集まる場」に投資している感覚です。

実は彼らにとっての「投資」も、「仲間への援助」という意味合いが大きくあります。

たとえば「株式投資」といえば、ほとんどの人はそれを「儲けるため」と考えるでしょう。しかし幸せな億万長者は、そんな直接的に儲かるような投資にはもはや興味がないように感じます。

幸せな億万長者は、自分が気に入った会社を応援するために株式投資をするのです。

私は宅配寿司の「銀のさら」が大好きです。

激ウマですし、デリバリーにありがちなトラブルを私は一度も体験したことがありません。いつも時間ぴったりにお寿司を届けてくださいます。

「銀のさら」を利用するたびに心から感動し株式を購入し続けていたら、「銀のさら」を運営している会社の大株主になっていました（笑）。

株式を購入するということは、その会社のオーナーになることに等しいのですが、ある意味、その会社や、その会社で熱心に働いているスタッフの皆さんや関係者と仲間になるようなイメージです。そう考えると、なんだかウキウキしますよね！

幸せな億万長者の秘訣

37

心を動かされる会社の株を買う

10代から投資を始めてわかった「お金の真理」

同時に、私が重視しているのは不動産投資で、20代のときから続けています。

10代のころからビジネスと投資をしていた私は、資金の一部をとある金融機関に預けていたのです。

ところがその金融機関が、経営破綻してしまいました。

その時代、金融機関が潰れることなんて想像していない人が多く、私もその１人でした。幸い預けていた資金のほとんどを取り返すことができたのですが、そのとき私は、自己責任を学んだのです。

自分のお金・資産は自分で守る。

ではどうすれば？

考えた私は、山の手の億万長者の話を思い出しました。

序章でも述べたように、私の父は建築関係の仕事をしていて、その施主の一部に億万長者がいたのですが、私は子供の特権で、その方々にズケズケと資産状況などを質問したのです。

それでわかったことは、**億万長者は不動産投資が大好き**だということです。

億万長者は、あちこちの一等地にビルやマンションを多数所有しています。

最高級ブランドが入居する凄いビルの中をツッカケで歩いている人がいたら、その人がそのビルの大家さんかもしれませんよ（笑）。

それからの私は東京を中心に、不動産を買い増していったのです。

どのように不動産投資で利益を出していくか？

不動産投資をよく知っている人には釈迦に説法ですが、不動産は借金という形でレバレッジをかけることが非常に重要です。

平均的な人は勘違いしているのですが、**不動産を買うためにお金を借りるのでなく、お金を借りるために不動産を買う**のです。

つまり、レバレッジをかけるために不動産を買うのです。

一般庶民が銀行に行って、

「株を買うのでお金を貸してくれ」

「債券投資をするのでお金を貸してくれ」

「ビジネスを立ち上げるのでお金を貸してくれ」

と言っても、なかなかお金を貸してはくれないはずです。

ところが、

「不動産を買うからお金を貸してくれ」

と言えば、金融機関はお金を融資してくれることが多いのです。

当たり前の話をしますが、1億円を貯めて1億円の不動産を買ったAさんと、1000万円を貯め、9000万円を借りることで1億円の不動産を買ったBさんとでは、資産が大きくなるスピードがまったく違います。

銀行から借りる借金の金利が1％。不動産投資のリターンが4％だとします。金利差は3％です。

話を簡単にするために、空室率・金利の変動・税金・その他コストなどの計算は省きます。

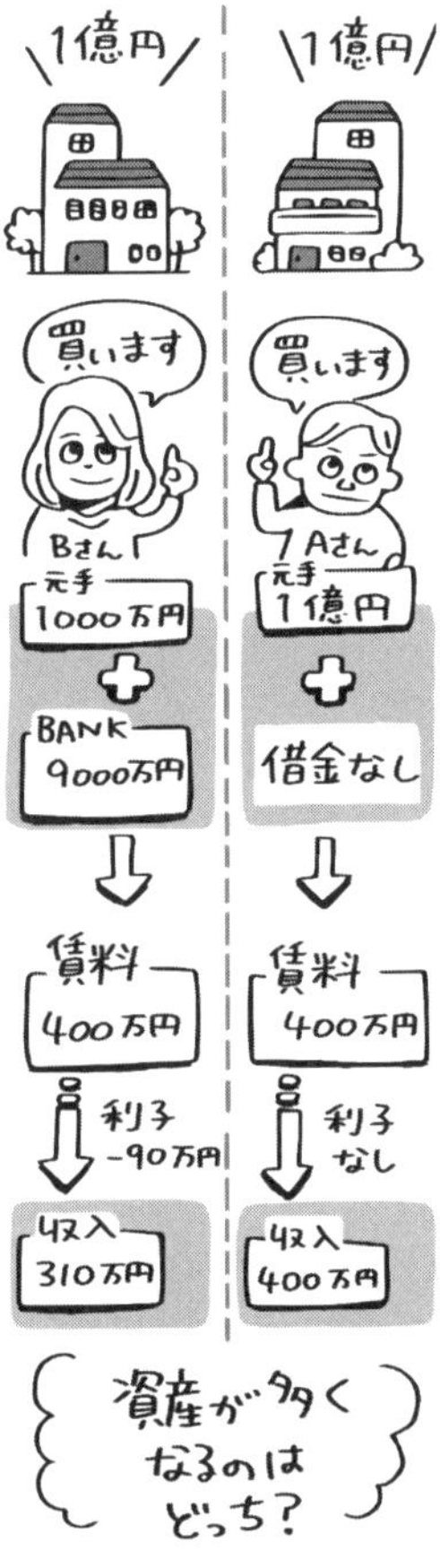

1億円を貯めてから物件を買ったAさんには、1億円×4％の400万円が賃収

として入ってきます。Aさんの収入は400万円。

一方、1000万円を貯め、9000万円を借りることで1億円の不動産を買ったBさんは、まず1億円×4％の400万円が賃収として入ってきます。そこから銀行に対して9000万円×1％の90万円を返済します。

400万円－90万円＝310万円。

Bさんの収入は、310万円です。

ここだけを見ると、Bさんの310万円より、Aさんの400万円のほうが良いように感じますね。

でも、観点を変えてみましょう。

Bさんが使った自分のお金は、1000万円です。

1000万円を使い、310万円の利益を得たわけですから、利回りは31％になります。

これって凄いことだと思いませんか？

さらに、Ｂさんが１つ目と同じやり方で、１億円の不動産を10件買ったとします。

10億円×４％＝４０００万円。

そこから銀行に対して９億円×１％の９００万円を返済します。

４０００万円－９００万円＝３１００万円。

ここまでいくと、不動産投資を本業にできますね。

ワンルームマンションよりも10部屋あるマンション１棟

こういう話をすると、平均的な人は、

「10億円はもちろん、１億円だって返すのは難しい。今の収入で買えるのは１０００万円のワンルームマンションかな」

などと考えます。

不動産投資でうまくいかない人は、この考え方の癖を変えたほうが良いかもしれません。

不動産を買った際に借りた借金の返済原資は、その不動産の賃収入です。

不動産を買った際に借りた返済の返済原資が、自分の労働収入だと思っている人は、不動産投資の規模を大きくすることができないと思います。

自分の労働収入が返済原資だと考えていれば、その思考を銀行はすぐに見抜きます。

そうすると、ある程度まで不動産を買い増したときに、銀行はピタリと融資をしてくれなくなります。

ご理解いただけますか？

そして、**「不動産を買った際に借りた借金の返済原資は、その不動産賃収入だ」と考えている人は、１０００万円のワンルームマンションより、１億円の不動産を買います。**

考えてみてください。

１０００万円の不動産も、１億円の不動産も、購入するための手間暇に変わりはありません。

どうせ手間暇かけるなら、額が大きいほうが良いですよね？

さらに言うと、仮に1億円のワンルームマンション（区分所有）と、10部屋あるマンション一棟物1億円があったとします。

経験がある不動産投資家は、1億円のワンルームマンション（区分所有）ではなく、10部屋あるマンション一棟物1億円を買います。

ワンルームマンション（区分所有）の場合は、入居率が100％か0％で非常にリスクが高いのに対して、10部屋あるマンション一棟物は、仮に1部屋が空室になったとしても入居率を90％に保つことができるからです。

「値段」が付いているのは土地か？　それとも建物か？

さらにさらに言うと、**鉄・木・コンクリート等に値段が付いたワンルームマンション（区分所有）は、時間が経つといずれ価値・価格がゼロ円に近づきま**

す。

それに対して土地＋建物に値段が付いた一棟物は、時間が経つにつれて建物の価値がゼロ円に近づいても、土地の値段・価値は残ります。つまり担保力があると言うことです。


生活を切り詰めてなんとか頭金を作り、さらに融資を受けて、

「俺、タワーマンションに3LDKの自宅を買ったんだ！　1億円なんだよ！」

などと言う人があなたの周囲にいませんか？

平均的な人は、

「すごーい！」

などと言うのでしょうが、世の億万長者は、

「この人、大丈夫なのかな？」

と、心から心配するわけです。


ワンルームマンション（区分所有）1億円の中に、壁を作ったものが3LDK（区分所有）ですからね。前述したようにかなり危険な投資です。

これは自宅を買っても同じことで、買った不動産を自分に貸すのか、他人に貸すのかの違いがあるだけです。

私はコミュニティメンバーにこのような話を繰り返し伝え、実際に担保力のある物件を、レバレッジをかけて購入してきました。

その広さは、約2000坪・サッカーコート1面くらいです。

私が不動産投資の道を作りましたので、コミュニティメンバーは賢く不動産に投資をしていくと思います。

幸せな億万長者の秘訣

38

マンションを1区分所有するのではなく、1億円の物件を複数購入する

「金融資本」に無頓着すぎる日本人

もちろん、すべての億万長者が不動産に投資をするわけではないし、あなたにも特別、ここで不動産投資を勧めるものではありません。

すべての投資にはリスクがありますし、時間がかかります。

以前愚かな私は、泥酔状態で株式投資を行ないました。その際、米ドルと円を間違え、恐ろしい金額の米国株を購入し、結果的に大損したことがあります（笑）。

私は何度もこんな馬鹿な失敗をしながら、ようやく今の段階にたどり着くことができました。

本書で繰り返し伝えますが、世の中には、

「これに投資をすれば、すぐに、楽してお金持ちになれます」

なんていう美味（おい）しい話はないと思いますし、そう言う人間がいたら、まずは疑ってかかるべきでしょう。

本書を機会にあなたに考えてほしいのは、「人的資本」や「社会資本」に並

ぶ、「金融資本」の必要性です。

良い人間関係を持っていて、仕事ができて、稼ぐ力がある。なのに「金融資本」には無頓着だから、怪我・病気・予想外のことが原因で、転がるように人生を落ちていく人を私はたくさん見てきました。

「貧(ひん)すれば鈍(どん)する」と言いますが、人生を転がり落ちていく人は悪いほうに人柄が変わり、せっかく築いた社会資本も崩壊していったりする。これは非常にもったいないことだと思います。

当たり前なのですが、私たち人間はいずれ老いて死にます。

老いが進むと、人的資本が減少していく人が多いのではないでしょうか?

このときにあなたを守ってくれるのが金融資本です。

かつての億万長者は、この金融資本を拡大・維持するために、スイスなどのプライベートバンクを利用することが多かったようです。

しかし最近の私の周りにいる億万長者たちは、少し違っています。

億万長者や新興のビジネス成功者も含め、自分で投資について勉強をしながら、主体的にお金を運用している人が多いのです。

その理由は簡単で、現在では、個人投資家とプライベートバンクが行なうことができる投資手法に、ほぼ違いがなくなったからです。

不動産投資についても同様で、情報が透明化されている大都市であれば、プロの投資家とあなたの投資手法にそれほど違いはありません。

これはあくまでも、あなたがきちんと投資について勉強していればの話ですが。

投資の世界では時間を味方にしたものが勝つのだと思います。ささっと勉強をして、ささっと金融資本を金融市場に投入しましょう。

幸せな億万長者の秘訣

39

失敗しながら日々、投資について勉強をする

終章

結局、コミュニティを持っている人が最後に勝つ

——人から好かれるリーダーがやっていること

コミュニティ内で「絶対にやってはいけないこと」とは？

本書も終盤にさしかかってきました。最後に、幸せな億万長者の生き方・考え方について触れていきましょう。

会社ではよく、「オンとオフ」という言い方がされています。

会社に出勤している時間と、出勤していない時間。出勤時間を過ぎてしまえば、もはや会社は社員にどうこう言える立場ではありません。

けれども本書で述べてきた通り、**幸せな億万長者の生き方に「オンとオフ」なんていう概念はありません**。

それどころか、あらゆる趣味や人間関係や楽しむことの数々が、すべて自分が持っている資産の価値を高くしたり、ビジネスを成長させることに結びついているわけです。

ですから本当のことを言ってしまえば、億万長者になるための生き方を選んだあなたには、「17時以降にやること」も「17時前にやること」も大きな差はないのです。

このように、オンとオフがなく、仕事とプライベートの境目が曖昧（あいまい）なコミュニティでは、ある意味、**会社よりコミュニティメンバーの暴走がコミュニティ全体に悪影響をおよぼす場合があります**。

そう考える私が、コミュニティで厳禁としている3点は、以下の通りです。

①**マネーゲーム、ネットワークビジネス、宗教などの勧誘をすること**

②**ガチの悪口を言うこと。私も冗談ではいろんなことを言いますが、本気で相手を傷つける悪口は言ってはいけません**

③**派閥を作ること**

私はこの3点だけは例外なく、強い態度で対処します。そうでないと、仲間にとってコミュニティが居心地の悪い場所になってしまうからです。

コミュニティの居心地が悪くなると、結果的に商売が停滞します。

上記3点を行なう人と真正面から対峙するあなたは、おそらく恨みを買うでしょう。もしあなたがこの問題に対峙することなく逃げ出すのであれば、コミュニティを作ることは100％不可能です。

幸せな
億万長者
の秘訣
40

自分の中で「やってはいけないルール」を決めている

「人の鏡」を大切にする

中国の王朝時代で最も成功した皇帝と言われる人物に、唐の時代の太宗（たいそう）がいます。彼の言行を記録したのが、有名な『貞観政要（じょうかんせいよう）』という古典です。

その『貞観政要』の中に、「3つの鏡」という話が出てきます。

「人の鏡」「歴史の鏡」「銅の鏡」です。

銅の鏡は、日常で使う普通の鏡で、常に自分の姿を客観的に見る必要があるということです。そして歴史の鏡は、過去の出来事に照らし合わせ、自分が間違いを犯していないかよく検証しろ、ということになります。

この2つは、自分1人でできることかもしれません。

ただ、**もう1つの「人の鏡」だけは、誰か自分に意見してくれる人が必要**なのです。

間違った判断や行ないをしているあなたに、「それは違う」と言ってくれる人が絶対に必要です。

地位が増せば増すほど、権力を持てば持つほど、そんな人を持つことは難しくなります。

それなのに、権力は確実に腐敗する。

この恐ろしい事実が身に染みている私は、各プロジェクトに、最低1人は「人の鏡」を持つようにしています。

「人の鏡」は、プロジェクトの中で一番優秀で、一番人柄がよく、一番コミットしている人間を選びます。

そして違う視点から、私に対してどんどん意見を言ってもらうわけです。

私はその都度、意見を聞いてプロジェクトに反映させていきます。

※もちろん拒否する場合もあります。

このように言うと、

「私の周りには、鏡になってくれるような人がいません」

と嘆く人もいるでしょう。

でも、そんなにこれを難しく考える必要はないのです。

人の鏡は、1枚じゃなくてもいいからです。

たとえば携帯電話を販売している人は、販売者としての領分とレイヤーから意見を言うだろうし、代理店のマネジャーの人は、その領分とレイヤーから意見を言うと思うのです。

他にもエンジニアとしての領分とレイヤー、弁護士としての領分とレイヤー、広報専門家としての領分とレイヤーなどがあります。

つまり、コミュニティのリーダーであるあなたは、それぞれの立場の話をきちんと聞いて、必要であれば、それをコミュニティに反映させていくことが重要なのです。

あなたのコミュニティに、あらゆる意見を公平に聞く人がいれば、絶対に引き上げるべきです。

まあ、コミュニティが大きくなると、そういう能力を持つ人は確実に目立ってきますが。それは「台頭してくる」とか、「主張が強くなる」というのではなく、その人の周りに良い人が集まってくることでわかるのです。

そういう人材を見逃すことなく、引っ張り上げて、さらに伸ばす。

これが幸せな億万長者の発想ではないかと私は思います。

幸せな億万長者の秘訣 41

心から信頼を置ける人と「壁打ち」する

「ナンバーツー」を作らない

メディアの方や弁護士から、

「あなたのコミュニティのナンバーツーは誰ですか?」とか、

「四天王は誰ですか?」

という質問を受けることがあります。

けれども、私はそういう身分的な存在をコミュニティ内に作りません。

私はいつも分野ごとにランキングを作っていて、**ランキング上位の人間がその分野を仕切ればいい**と考えているからです。

プロのスポーツ選手と、チームビルディング・コラボレートのプロも同じで、年齢やキャリアは関係なく、「今、数字を作ることができる人」が主導権を握るのが健全であると私は確信しています。

「自分に従うだけの組織」では成長に限界が訪れる

私がその人を好きか嫌いかなどまったく関係ありません。

例外は作りません。

プロセスは無視します。

数字で勝負です。

その人の背景も知りません。

他人が他人の背景を知ることなど不可能ですしね。

お互いの背景を一番知っているはずの夫婦が、50%の確率で離婚、あるいは事実上の離婚をするのを見ると、私のような低レベルの人間が他人の背景を知ることなど不可能だと確信するのです（笑）。

例外を作らず、実力主義というルールを守っていれば、コミュニティの仲間は皆、伸び伸びとやっていくことができます。

なぜって、トップの顔色を見て、忖度（そんたく）していてもまったく意味がないからです。

私たちのコミュニティでは、年齢・学歴・国籍・人種・性別などの属性は、まったく意味を持ちません。

ましてや、私の鶴の一声で物事が決まるようなことは一切ありません。

逆に言うと、数字を作ることだけに集中すればいいのです。

と言っても、日本は儒教の影響が強い国ですから、どれだけ数字を作っていても、年上には絶対に敬語を使うように厳しくコミュニティに言っていますし、その他の礼節も大事にするように繰り返し言っています。

年上に対して礼節を忘れず敬語を使っている若手が、チームビルディング・コラボレートの議題では年上に対してもハッキリと「ノー!」と言う。

私はそういった若者や、世間では馬鹿者と言われそうな人を見て、心から嬉しくなるのです。

そして、そういう文化を持つコミュニティが長く繁栄するのだと、億万長者の皆さんは知っているのではないでしょうか?

幸せな億万長者の秘訣

42

数字を重視し、実力者を抜擢する

適切な勾配で人は育つ

私は、「仕込みの早さ」とよく言うのですが、仮に「次のお正月までに１００万円の貯金を作りましょう」という話になったとしましょう。

そのとき、12月から動き始めたら、期間は１ヶ月です。

１ヶ月で１００万円の貯金を作るというのは、勾配（こうばい）のきつい坂道を駆け足で上がっていくような感じですので、動き出す前に諦めてしまうかもしれません。

では、これを12月からでなく、2月から動いていたらどうなるか？

そうすると「11ヶ月で１００万円」ですから、勾配はかなり緩やかになるわけです。

すると「こんなに余裕があるなら、絶対に目標は達成できるぞ」と慢心してしまい、あまり頑張ろうという気持ちにはならない可能性もあります。

きつすぎると人はやる気をなくすし、楽すぎると手を抜いてしまう。

具体的に考えてみましょう。

私たちの仕事でよくあるのは、イベント開催です。

次のお正月にイベントを開催するとして、「１００人を集客する」という話になったとしましょう。

これを1ヶ月前に言ったらどうなるでしょう?

今から知り合いを集めても、100人なんて集められそうにない。「自分には無理だ」と、諦めてしまう人も多いかもしれません。

これがその年の2月だったとしたら、「まだ当分、先の話だな」なんて考え、多くの人がすぐには知り合いに声を掛けることすらしないと思います。

ところが、3ヶ月くらい前に課題を出し、「その方法は任せるよ」ということにしたらどうでしょう?

1人で動いたってどれくらい集まるかわからない。そうすると、メンバーを集め、相談をし、たとえばチラシを作ったり、SNSを利用した発信をしたりして、人を集める方法を考えていくわけです。

適切な勾配を設定すれば、メンバーはそんなトライ&エラーを繰り返し、自分なりのやり方を開拓していきます。

私が言うのは、「いつまでに」「何をしたい」と適切な勾配の設定をするだけ。これって、マネジメントには理想的だと思いませんか?

幸せな億万長者の秘訣

43

事細かくやり方を教えない

億万長者は「難問にチャレンジする人」が大好き！

以前、こんなことがありました。コミュニティで立ち上げている会社の話です。おかげさまでその会社は次々と販路を開拓し、売り上げは右肩上がりです。その会社の社長Rくんは、売り上げを追いかけるあまり、会社のキャパ以上の販路を開拓してしまいました。

Rくんの知らぬうちに社内は混乱していたのです。ある日、会社に寝泊まりし働いているRくんに1通のメールが届きました。

それは東南アジアの某都市で開拓した取引先からの、

「本日納期期限の商品がまだ届かないが、大丈夫なのか？」

という問い合わせだったのです。

会社スタッフに問いただすと、

「すみません！　忘れてました」

と、平謝りしています。

気絶しそうになったRくんは、なぜかオフィス内を走り回りながら、

「どうしよう！　どうしよう！」

と叫び、考えたそうです。


「申し訳ありません！　納期が遅れます！」

などと、どう謝れば良いのかを考えているうちに、ふと思ったのだそうです。


「俺が飛行機に乗り、現地まで持っていけばいいだけじゃないか！」

繰り返しますが、その取引先は東南アジアの某都市にあります。それに対して商品の価格は約１０００円（笑）。

完全に大赤字ですが、彼は実際に飛行機に乗り、東南アジアの某都市にある取引先まで商品を届けたのでした。

その会社に出資をしている私や仲間は、彼を責めませんでした。

人はときどき、そんな通常の勾配を超えた難問にぶち当たることがあります。

私や仲間はそういった難問に進んで取り組むことで成長してきたし、Ｒくんも本件で大きく成長したと感じたからです。

東南アジアに飛んだＲくんを見て、真剣に負荷をかけあえる仲間がまた増えたと、私は喜びました。

私が実現できなかったこと、私が達成できなかったことを、次世代のＲくんたちがやり遂げてくれるでしょう。

もし、Ｒくんの世代が無理でも、その次の世代がやり遂げてくれるでしょう。

世界は変化し、自分も変わっていく。

ある企業が拡張し、衰退する。

ある技術が流行り、衰退する。

ある銘柄の株価が暴騰し、下落する。

あるビジネスモデルが拡張し、衰退する。

あるテクノロジーが繁栄し、衰退する。

そんな中で、**変わることがない価値を提供するのが、「コミュニティ」**だと私は信じています。

本書でコミュニティ作りの考え方や、やり方を学んだら、ぜひ実践してほしいのです。

皆さんと一緒にコミュニティ作りができることを、心から楽しみにしています。

幸せな億万長者の秘訣 44

自分が失敗しても、代わりに成功してくれる仲間がいると信じている

エピローグ

お疲れ様でした！

最後までお読みいただき、本当にありがとうございます。

本書を読んで、

「自分には無理だ。億万長者にならなくてもいい。これまで通り、会社員一筋で頑張る」

と、思った方がいるとしましょう。

私はそれでもかまわないのです。


なぜ？

この本を読む前のあなたと、読んだあとのあなたは、別人であることを私は知っているからです。

ほんの少ししか変わっていないかもしれませんが、それでも別人です。

ジムで汗を流す前のあなたと、汗を流したあとのあなたが別人であるように。

上質な美術館に行く前のあなたと、行ったあとのあなたが別人であるように。


今後、あなたが何かを選ぶとき、何かを決断するとき、この本の情報が頭に浮かぶはずです。

おそらく頭に浮かんだ情報の元が、嶋村吉洋の本であることをあなたは思い出せないでしょう。

しかし、それでもよいのです。

頭に思い浮かんだその情報によって、あなたが効果的な選択や決断をして、人生がより良くなるのなら、この本を書いて本当によかったと私は思うのです。


この本を通じて、あなたに出会えたことに心から感謝いたします。


この場を借りて、まず、私の宝物である母に感謝します。

あなたの子供で本当によかったです。

好き好き好き好きです！

ありがとう。

そして、コミュニティの仲間にも「ありがとう」を伝えさせてください。

コミュニティの仲間たちなくして、本書は日の目を浴びられませんでした。

皆さんは私の人生そのものです。

皆さんは、この本を必要以上に買ってください（笑）。

また、本書執筆にあたっては、夏川賀央さん、上岡正明さん、高野真一さん、ＰＨＰ研究所ビジネス書編集長の大隅元さんに心より御礼申し上げます。

嶋村吉洋

幸せな
億万長者
の秘訣

45

本書を何度も何度も読みかえす

著者紹介
嶋村吉洋（しまむら・よしひろ）
実業家。投資家。映画プロデューサー。
兵庫県出身。10代で起業し、実業家、投資家、
映画プロデューサーなどさまざまな分野で多角的に活躍し、
現在は投資家として、テレビ東京、
オリコン株式会社など数社の大株主となり、
ソーシャルビジネスコミュニティ「ワクセル」を発足。
1,500名に及ぶコラボレーター（協力者）が参画し、
100以上のプロジェクトを創出している。
著書に『うまくいくリーダーだけが知っていること』
（きずな出版）がある。

ブックデザイン　杉山健太郎
イラスト　ヤギワタル
編集　大隅元

となりの億万長者が17時になったらやっていること
大富豪が教える「一生困らない」お金のしくみ

2024年4月17日　第1版第1刷発行
2024年5月14日　第1版第4刷発行

著者　嶋村吉洋
発行者　永田貴之
発行所　株式会社PHP研究所
東京本部　〒135-8137　江東区豊洲5-6-52
ビジネス・教養出版部　☎03-3520-9619（編集）
普及部　☎03-3520-9630（販売）
京都本部　〒601-8411　京都市南区西九条北ノ内町11
PHP INTERFACE　https://www.php.co.jp/
組版　石澤義裕（Albania）
印刷所
製本所　図書印刷株式会社

ISBN 978-4-569-85686-5